Viateur

Les chemins de l'exil
Au temps des patriotes

Bonne lecture à Ricard [signature] 2008

Éditions du Phœnix

2011 Éditions du Phœnix

Imprimé au Canada

Montage : Hélène Meunier
Révision linguistique : Hélène Bard
Graphisme : Guadalupe Trejo

Éditions du Phœnix
206, rue Laurier
L'Île Bizard (Montréal)
(Québec) Canada H9C 2W9
Tél.: 514 696-7381 Téléc.: 514 696-7685
www.editionsduphoenix.com

Catalogage avant publication de Bibliothèque et Archives nationales du Québec et Bibliothèque et Archives Canada

Lefrançois, Viateur

       Les chemins de l'exil : au temps des Patriotes

       Suite de: Les chemins de la liberté.

       ISBN 978-2-923425-54-2

       1. Canada - Histoire - 1837-1838 (Rébellion) - Romans, nouvelles, etc. I. Titre.

PS8573.E441C429 2011   C843'.54   C2011-941395-7
PS9573.E441C429 2011

Nous remercions la SODEC de l'aide accordée à notre pro gramme de publication. Nous reconnaissons l'aide financière du gouvernement du Canada par l'entremise du Fonds du livre du Canada pour nos activités d'édition à notre programme de publication.
Nous sollicitons également le Conseil des Arts du Canada. Les Éditions du Phoenix bénéficient également du Programme de crédit d'impôts pour l'édition de livres - Gestion SODEC - du gouvernement du Québec.

Viateur Lefrançois

Les chemins de l'exil
Au temps des patriotes

Éditions du Phœnix

Du même auteur chez Phoenix

Les chemins de la liberté, Hors coll. 2010.

Aventuriers des mers, coll. Ados, 2009.

Un fabuleux voyage à dragons-village, coll. Les maîtres rêveurs, 2007.

Chevaux des dunes, coll. Oeil-de-chat, 2007.

Otages au pays du quetzal sacré, coll. Oeil-de-chat, 2005.

Du même auteur, chez d'autres éditeurs

Tohu-bohu dans la ville, série Francis-Capuchon, tome III, coll. « Dès 9 ans », Éd. de la Paix, 2004.

Les Facteurs volants, série Francis-Capuchon, tome II, coll. « Dès 9 ans », Éd. de la Paix, 2003.

Coureurs des bois à Clark City, série Francis-Capuchon, tome I, coll. « Dès 9 ans », Éd. de la Paix, 2003.

El misterio de la mascara de serpiente, Artes de Mexico, Mexique, 2003.

Dans la fosse du serpent à deux têtes, coll. « Dès 9 ans », Éd. de la Paix, 2002.

Les Inconnus de l'île de Sable, coll. « Ados/Adultes », Éd. de la Paix, 2000.

« La Folle Nuit de la San Juan » in *Les Contes du calendrier,* collectif de l'AEQJ, Éd. Pierre Tisseyre, 1999.

Quand un peuple tombe esclave, il doit garder sa langue, car, quand il tient sa langue, il possède la clé de sa prison.

(Alphonse Daudet, La dernière classe, Folio)

PRÉFACE

On peut nous maintenir dans un état d'infériorité politique, on peut nous piller, on peut nous opprimer [...] mais jamais nous ne prêterons la main à notre asservissement et à notre dégradation [...] on ne peut nous faire endurer plus que nous avons souffert ; nous sommes familiers avec les souffrances et nous les redoutons moins que le déshonneur. Ces réflexions ne sont pas les divagations d'une imagination surchauffée ; c'est l'expression fidèle et réfléchie qui anime un demi-million d'hommes dans le Bas-Canada. L'appât des faveurs a pu amollir quelques courages, mais la masse de la population ne fléchira jamais ; le soleil du pouvoir pourra dessécher quelques branches, mais l'arbre conservera toujours sa sève et sa verdeur.

Étienne Parent, (1802-1874) journaliste.

TURCOTTE, Louis-Philippe. *Le Canada sous l'Union*, 1841-1867, volume 2, parties 2-4, .

Avis aux lecteurs
Les personnages principaux de ce roman, et les
aventures qu'ils vivent, sont fictifs. Cependant,
la trame historique est vraie.

PROLOGUE

Après une année 1837 tragique, les patriotes, menacés d'arrestation, traversent la frontière pour éviter la prison. Ils se réfugient dans les villages limitrophes, dont Champlain, Burlington, Chazy, Plattsburgh, Rouse's Point. Les défaites de Saint-Eustache et de Saint-Charles, l'incendie de Saint-Benoît, le pillage des volontaires, la destruction des propriétés des patriotes et la dispersion des familles amènent les réfugiés au bord du désespoir. L'emprisonnement de centaines de personnes au pénitencier du Pied-du-Courant, dont un grand nombre de compagnons d'armes, exaspère les patriotes au plus haut point. La plupart écoutent les propositions de revanche de leurs amis, qui leur permettraient de rentrer chez eux. Plusieurs chefs de la rébellion de 1837, comme Papineau, Demaray, Davignon, Côté, Malhiot, Gagnon et Duvernay, vivent en exil.

L'arrivée aux États-Unis de Robert Nelson, le frère cadet de Wolfred Nelson, le général en chef des armées patriotes de 1837, redonne un peu d'espoir aux expatriés. Emprisonné par les Anglais,

Nelson écrit ces mots sur l'un des murs de sa prison : « Le gouvernement anglais se souviendra de Robert Nelson. » Après sa libération, l'homme rejoint les patriotes aux États-Unis pour les rassembler et continuer le combat pour la cause de l'indépendance du Bas-Canada. Mais de nombreux obstacles attendent les rebelles.

Le sept décembre 1837, de Washington, le secrétaire au Département d'État, John Forsyth, fait parvenir une lettre aux gouverneurs des États du Vermont, de New York et du Michigan. À la demande du président Martin Van Buren, il les prie d'arrêter immédiatement les individus qui prendraient part à des entreprises d'une nature hostile contre une puissance étrangère, amie des États-Unis. Par ailleurs, Forsyth se réjouit ouvertement des déboires de l'Angleterre en Amérique. De son côté, l'évêque de Montréal, Jean-Jacques Lartigue, collabore avec Colborne. Il accuse les patriotes d'être les responsables de nombreux pillages et incendies et minimise le rôle des militaires et des volontaires anglais. Dans son mandement, l'homme d'Église écrit : « ils ne peuvent, dans le feu de l'action, maîtriser leur fougue de soldats ».

À Montréal, plusieurs anglophones réclament la potence pour les rebelles. Dans *The Herald*, le journaliste Adam Thom se fait le porte-parole des extrémistes : « chaque agitateur local, dans chaque paroisse, doit subir un procès et, s'il est trouvé coupable, doit perdre ses propriétés et la vie [...]. » À Londres, le premier ministre Melbourne offre à Lord Durham le poste de gouverneur des provinces anglaises de l'Amérique du Nord. Durham accepte cette mission au Canada, après l'intervention personnelle de la reine Victoria.

L'exil à Champlain

Par une nuit froide de décembre, après un difficile périple en diligence qui les a menés, entre autres, à Saint-Athanase, à Saint-Denis et à Saint-Eustache, Gabrielle et Pierre Gagnon se dirigent vers l'État de New York avec leurs sept enfants. Tous prennent le chemin de l'exil. Témoins des atrocités commises par les forces d'occupation britanniques, ils comptent se reposer et, surtout, oublier leur malheur d'exilés politiques. *Et maintenant, que nous réserve 1838 ?* se demande le père de famille. À Napierville, ils se sont recueillis sur la tombe de grand-mère Rita, décédée lors de l'incendie de leur maison, occasionné par les loyalistes. Ils ont ensuite récupéré leur fils Georges chez son parrain. Torturé par les soldats, l'adolescent était trop mal en point pour voyager en plein hiver. Le forgeron

David Demers et sa femme l'ont donc soigné et protégé pendant que ses parents fuyaient de village en village.

Georges les suit dans une charrette, laquelle contient les maigres biens de la famille, ainsi que de la nourriture et quelques cadeaux de sa marraine. Les jumeaux Jeanne et Paul ont tenu à accompagner leur grand frère. Enveloppés dans de chaudes couvertures d'étoffe, la tête appuyée sur les épaules du jeune homme, ils dorment à poings fermés. De son côté, réconforté d'avoir enfin retrouvé sa famille après une séparation de deux mois, l'aîné apprécie la présence des jumeaux. Le souvenir des tortures infligées par les militaires anglais vient souvent troubler ses pensées : il voit et ressent encore les baïonnettes qui lui déchiraient les jambes. Par chance, ses protecteurs ont su le rassurer. David lui a enseigné le maniement des armes, le lancer du couteau et le tir à l'arc ; dorénavant, il atteindra sa cible du premier coup.

— Entraîne-toi tous les jours, lui a recommandé le forgeron. Tu pourras ainsi te débrouiller en toutes circonstances et tu mangeras toujours à ta faim.

Dans ses bagages, l'adolescent transporte deux fusils, un arc, des flèches et un moule pour fondre les balles. Il espère transmettre son savoir aux jumeaux, une fois que toute la famille sera installée à Champlain. Âgés maintenant de douze ans, ceux-ci doivent désormais survivre et affronter seuls les difficultés de la vie d'exilés. Dans une dizaine de minutes, tous franchiront la frontière et se moqueront de l'action des volontaires. Ému, Georges touche à sa bague, surmontée d'une petite tête d'Indien sculptée en bois, cadeau de son parrain pour souligner ses seize ans. La voix de son père le tire de sa rêverie.

— J'entends des bruits de sabots.

La diligence et la charrette entrent dans le boisé pour laisser passer le danger. Pierre se dirige en silence vers ses enfants en marchant dans la neige folle. Les quatre petits dorment profondément sur les bancs et le plancher de la voiture ; leur mère Gabrielle veille sur eux. Comme ils le craignaient, les miliciens patrouillent les environs de Lacolle. Quatre Britanniques arrivent au galop et s'immobilisent à faible distance du groupe ; ils soupçonnent la présence d'intrus. Georges pense à son fusil, mais des coups de feu alerteraient le voisinage. Constamment à la recherche de patriotes en fuite, ces loyalistes se feraient un plaisir d'arrêter la famille Gagnon.

Georges cherche son arc et ses flèches un moment avant de les trouver. Il conseille à son père de se tenir prêt à s'enfuir. Paul reçoit la même directive quand il prend les rênes. Le jeune homme s'agenouille au centre de la voiture et demande à Jeanne de le fournir en flèches après chaque tir. Précis, rapide, il tend la corde au maximum : les volontaires anglais tombent comme des mouches sans savoir d'où proviennent les projectiles. Pierre et les enfants courent ensuite vers l'ennemi pour lui vider les poches, reprendre les flèches et s'emparer des chevaux et des armes, avant d'enfouir les corps dans la neige. Georges attache deux bêtes à la charrette, prend les guides et donne le signal du départ ; les jumeaux enfourchent chacun une monture pour suivre le cortège.

— En avant ! ordonne Pierre. Nous devons absolument traverser la frontière.

Les chevaux arrivent à bout de souffle dans l'État de New York. La famille Gagnon roule jusqu'à Champlain où, se dit Pierre pour se rassurer, les patriotes déjà sur les lieux les tireront d'embarras.

— Nous venons encore de frôler la catastrophe ; nous te devons une fière chandelle, mon garçon.

— Tu remercieras David. Notre ancien voisin a beaucoup chassé et m'a appris le maniement des armes.

— Tu peux compter sur moi. Pour l'instant, ta mère tombe de fatigue ; nous nous arrêtons pour la nuit.

Pendant deux jours, la famille vit dans la diligence avec, pour seul chauffage, une lampe à l'huile et des bougies. Quand Jeanne et Paul se rendent au magasin général pour acheter du pain, ils rencontrent le notaire Demaray et le docteur Davignon, les chefs patriotes de Saint-Athanase en exil. Heureux de les revoir, le notaire serre les Gagnon dans ses bras et leur promet de les aider. Les deux hommes préviennent alors une association américaine sympathique à la cause des patriotes. Familières avec les malheurs des Canadiens, des femmes leur fournissent des vivres et leur dénichent une maison près de la forêt. Aussitôt les Gagnon installés, le notaire et le médecin rendent visite à leurs amis. Les retrouvailles s'avèrent joyeuses : Pierre Gagnon et ses invités se remémorent avec plaisir les événements de la bataille du chemin Chambly.

Le médecin examine tous les membres de la famille Gagnon pour s'assurer de la bonne santé de chacun après leur pénible voyage. Il se dit surpris de les voir en si grande forme. Quand le médecin constate les marques rouges sur la peau de Georges, il devine le sort que lui ont réservé les soldats.

— Les cicatrices de baïonnette disparaîtront avec le temps. J'ai soigné d'autres personnes qui portaient les mêmes blessures.

— J'ai promis de me venger et je tiendrai parole, répond le jeune homme aux boucles blondes, dont le regard bleu ciel brille de tous ses feux. J'ai déjà commencé à leur rendre la monnaie de leur pièce.

Convaincue qu'elle ne parviendra pas à dissuader son fils de se venger, Gabrielle ferme les yeux quand elle l'entend argumenter. Il ira de l'avant malgré le danger.

— Je t'aiderai, affirme Paul avec conviction.

— Tu peux compter sur moi, ajoute Jeanne.

Les jumeaux s'approchent et placent leurs mains sur celles de leur frère pour sceller l'accord. Cette fois, leur mère intervient et leur conseille de grandir avant d'affronter les Anglais.

— Sinon, je vous attache aux pattes du poêle !

Sur ces propos moqueurs, des coups de poing dans la porte forcent tout le monde au silence. Craignant de voir surgir des militaires, les adolescents s'emparent des plus jeunes et les emmènent en vitesse dans une chambre. Quand Gabrielle ouvre la porte aux visiteurs impromptus, elle découvre cinq femmes au visage réjoui, les bras chargés de victuailles ; elles saluent aussitôt toute la famille, entrent en file indienne et déposent la nourriture sur la table. Les bienfaitrices posent un regard complice sur Gabrielle, frappée d'une inexprimable surprise, puis repartent après les formules de politesse. Les enfants accourent à la cuisine et jettent un œil intéressé sur les vivres. Leurs yeux bleus brillent de joie :

— Je n'ai pas vu un aussi gros rôti depuis longtemps, lance Jeanne.

— Regarde, des légumes ! s'exclame Paul. Justement, je mourais de faim !

Les yeux des Gagnon s'emplissent de larmes : Gabrielle court remercier ses généreuses donatrices et, en pleurs, se précipite dans leurs bras. L'une d'elles revient quelques minutes plus tard pour lui remettre trois poules pondeuses ; sa compagne la suit de près et attache un énorme cochon derrière la maison.

— Tu devras aiguiser tes couteaux pour le saigner, lance Gabrielle à son mari.

La mère de famille pense déjà au boudin qu'elle cuisinera avec le sang, aux côtelettes de porc et au ragoût de pattes de cochon dont les jeunes se régaleront. Eux qui ont souffert de la faim au cours des derniers mois se nourriront comme des seigneurs jusqu'au printemps.

— Les gens de la région connaissent la misère des habitants du Bas-Canada et compatissent à leur douleur, affirme Pierre-Paul Demaray.

— Ces femmes reviendront sûrement vous voir, ajoute le médecin, surpris lui aussi par tant de générosité.

— Nous resterons ici quelque temps, dit Gabrielle. J'en profiterai pour m'occuper des enfants et me reposer pendant que vous comploterez contre l'ennemi.

— Nous interviendrons certainement, répond Pierre. Les réfugiés n'abandonneront jamais le peuple aux mains des Anglais.

— Ce « vieux brûlot » de Colborne détruira le Bas-Canada si nous le laissons agir à sa guise, lance Davignon.

Selon lui, des sympathisants ont prévu des rencontres à Saint-Alban et à Albany pour planifier la suite des événements. Les exilés, malgré les protestations du gouvernement de Washington, participeront à des réunions d'information. Demaray ajoute :

— Les Amis de la liberté canadienne organiseront aussi des soirées à New York, à Buffalo, à Oswego et à Swanton pour renseigner les citoyens et récolter des dons.

Selon Davignon, Robert Nelson s'est mis à l'œuvre et écrit des lettres, destinées à ses nombreuses relations du Canada et des États-Unis. Il sait déjà que certaines personnes l'aideront à réussir les prochains coups d'éclat.

Retour à l'école

Chez les Gagnon, tous profitent de l'accalmie momentanée pour organiser la vie familiale. Avec l'aide du docteur Davignon, Pierre a vendu les quatre chevaux pris aux volontaires. Cet argent tombé du ciel permet d'acheter le nécessaire pour la maison, de nettoyer les lieux et de mieux vêtir Agnès et les trois garçons. Pendant ce temps, Georges s'entraîne à tirer au fusil dans la forêt, derrière la résidence, et s'améliore de jour en jour. Il joue aussi du couteau comme un as du cirque, en plus de s'adonner au tir à l'arc. Jeanne et Paul l'accompagnent partout et bénéficient de l'expérience de leur grand frère ; les adolescents apprennent en outre à fabriquer des flèches. Tous les trois passent leur journée dans les bois à patauger dans la neige, à chasser et à jouer à la guerre. Ces activités procurent aux jeunes membres de la famille une formidable endurance au froid, à la faim et aux efforts physiques. Les jumeaux se plient volontiers aux exercices exigés par leur frère aîné et, même, en redemandent. Georges sourit quand il les entend parler et les encourage à aller toujours plus loin, comme le lui a enseigné le forgeron Demers. Depuis l'incident de la frontière avec les volontaires, les jumeaux le regardent comme un modèle et un héros.

— Je vous mets en garde contre toute action inconsidérée. Promettez-moi de me consulter avant d'agir.

Le frère et la sœur acquiescent du bout des lèvres : ils savent qu'ils pourront à tout instant s'en remettre à leur frère aîné si quelque chose de fâcheux leur arrivait. Depuis un an, Georges a grandi très vite ; il dépasse déjà Pierre d'une tête et sa croissance n'est pas terminée. Sa chevelure dorée et son regard franc, comme celui des autres membres de la famille, attirent la sympathie des gens qui lui accordent volontiers leur confiance. Malgré sa détermination à aider les jumeaux, Georges demeure conscient qu'ils sortent à peine de l'enfance. Il connaît leur tendance à foncer sans tenir compte de l'avis de leur entourage : en conséquence, il les surveillera de près pour leur éviter des ennuis.

— Allons manger ! Je meurs de faim.

Les frères tirent un dernier coup de fusil, puis obéissent à leur sœur. Au moment de servir la tarte au sucre, Pierre prend la parole :

— J'ai appris une bonne nouvelle aujourd'hui.

— Nous retournons à Napierville ! s'exclame Jeanne, les yeux remplis d'espoir.

— Pas exactement, répond Gabrielle. Je vous ai inscrits à l'école ; vous commencez la semaine prochaine.

Jeanne et Paul restent estomaqués, puis se mettent à protester.

— Pour quelle raison ? Nous repartirons bientôt chez nous pour revoir nos amis !

— Je refuse d'y aller, ajoute le garçon. Je veux combattre à vos côtés.

— Vous nous remercierez plus tard, répond Gabrielle avec douceur. En plus, vous étudierez la langue anglaise.

La jumelle se lève d'un bond et sort en claquant la porte. Paul saisit les vêtements d'hiver de sa sœur, puis la rejoint pour tenter de la calmer.

— Je ne suis plus un enfant à qui on en impose ! Je le prouverai un jour.

Jeanne s'empresse de revêtir son manteau et son chapeau.

— Après tout ce que nous avons vécu, je me sens trahie.

— Nos parents s'inquiètent de notre avenir, Jeanne. Obéissons pour le moment, nous verrons en temps et lieu.

L'adolescente jette un regard en coin vers son frère et lui donne raison. Ils resteront tranquilles, mais garderont les oreilles grandes ouvertes. Calmés, les jumeaux retournent à la maison avant de geler sur place. Paul met cependant la famille en garde :

— Je vous préviens : je désire participer aux événements qui se préparent en haut lieu.

Pierre et Georges se regardent discrètement et se demandent si les jeunes savent vraiment de quoi ils parlent ou s'ils vont simplement à la pêche. Pierre les interroge :

— D'où vous viennent de telles informations ?

— Il suffit d'écouter, réplique Jeanne.

— Les gens disent n'importe quoi, répond Georges.

— Plusieurs se montrent très indiscrets ; selon l'avis de certains, les patriotes attaqueront bientôt le Bas-Canada.

Bouche bée en raison de la révélation de Paul, Pierre se promet d'en discuter avec son cousin Julien Gagnon et avec Robert Nelson. Son visage songeur en dit long sur les prochaines missions.

— Les exilés devront apprendre à tenir leur langue, ajoute Georges pour conclure. Les espions du Bas-Canada et des États-Unis rôdent partout et se tiennent à l'affût du moindre renseignement.

Le lendemain, Pierre rencontre Ludger Duvernay lors d'une réunion à Swanton. L'ancien journaliste du *Canadien* admet les faits et suggère d'émettre des directives strictes aux combattants exilés.

— Si tu veux rire un peu, voici de quoi te divertir : les rumeurs les plus folles courent au Bas-Canada et certains vont même jusqu'à s'imaginer que nous nous préparons à envahir Montréal.

Pierre sourit quand il feuillette une copie du journal bureaucrate *Le Populaire* : il connaît l'état de désorganisation et le manque de moyens des réfugiés. La lecture d'un article le déride un moment :

« À Verchères, la semaine dernière, une idée fixe s'était emparée de tous les habitants et il eut été impossible d'en désabuser une certaine partie : Papineau, suivant le bruit courant, était passé à Saint-Denis en ballon et avait dit à ses bons Jean-Baptiste : "Courage mes amis, j'arrive avec 60 000 Américains". Les excellentes gens croyaient cela comme à l'Évangile. On disait en outre qu'il avait dans son armée une pompe traînée par trente chevaux et bœufs, à l'aide de laquelle il se proposait d'éteindre le feu des Anglais. »

— Ce journaliste se paie nos têtes, déclare Pierre.

— Surtout que Papineau s'est lui-même exclu de l'action, répond une voix familière. Il ne croit plus à la lutte armée. Nelson devient le commandant de notre mouvement.

Quand Pierre se retourne, il aperçoit son cousin, Julien Gagnon, le chef patriote le plus craint des bureaucrates et des loyalistes. Les deux hommes se sautent dans les bras. Julien saisit la main de Georges et le félicite pour le courage dont il a fait preuve devant les militaires.

— Beaucoup d'entre nous connaissent tes ennuis avec les soldats.

— Qui peut se fier à l'armée britannique ? demande Georges.

— Le soleil ne se couche jamais sur leur empire, comme ils aiment l'écrire dans leurs journaux, lance Duvernay au milieu d'un éclat de rire.

Julien, impatient de mettre son cousin au courant de ses projets, conduit Pierre à l'extérieur. Georges les suit de près pour prendre part à la conversation. Les mains dans les poches, l'adolescent regarde la lune se cacher derrière un nuage. Rétabli de ses blessures subies lors de la bataille du six décembre 1837, à Moore's Corner, Julien semble fin prêt à reprendre les hostilités. Il leur raconte ses déboires avec les soldats anglais pendant l'affrontement :

— Avec le général Édouard Élisée Malhiot à notre tête, nous projetions d'attaquer la garnison de Saint-Jean, mais nous sommes passés par Saint-Valentin pour éviter les volontaires. Comme aide de camp, j'ai appris qu'ils connaissaient nos plans ; l'ennemi nous attendait de pied ferme.

— Les délateurs s'infiltrent partout, répond Pierre, d'un ton désolé.

— Par chance, Pierre-Rémi Narbonne m'a aidé quand j'ai reçu une balle. Quel homme courageux !

Déterminé à se venger des Britanniques, le chef patriote promet de se battre jusqu'au bout.

— Je récolte d'ailleurs l'appui d'un nombre important de cultivateurs ; ils réclament, comme moi, non seulement l'indépendance du Bas-Canada, mais aussi l'abolition de la dîme et du régime seigneurial.

— Tu te mets à la fois l'Église à dos, les seigneurs et l'armée britannique. Ça devient un énorme défi à relever pour les patriotes.

Julien hausse les épaules avec indifférence et passe à un autre sujet. À la fin de l'entretien, il confie une mission à Pierre et à son fils. Heureux de rendre service à la cause, ils acceptent et promettent de l'accomplir avec zèle et conviction. Avant de partir, ils font connaissance avec plusieurs exilés, des gens décidés à envahir le Bas-Canada, puis, satisfaits de leur soirée, les deux hommes retournent chez eux la tête haute.

Une visite à l'arsenal

Les conversations à voix basse et les nombreux tête-à-tête entre Pierre et Georges éveillent la curiosité des jumeaux. Jeanne et Paul désirent en savoir davantage et traquent l'information presque jour et nuit.

— Ces deux conspirateurs nous laissent dans l'ignorance.

— Je m'efforce d'écouter, mais impossible de saisir leurs propos, affirme Jeanne, désespérée. Je n'ai rien trouvé dans la chambre de Georges, pas même une note sur un bout de papier.

— Le coup doit être important, sinon ils seraient moins discrets.

Après le souper, Pierre et son aîné se rendent à l'écurie pour vérifier les sabots des étalons et examiner les roues de la voiture. Mais la jumelle, méfiante, reste aux aguets ; elle se lève tôt le lendemain matin pour exercer une surveillance accrue. Jeanne réveille son jumeau : elle a vu Georges atteler les deux chevaux à la charrette.

— Ils partiront dans quelques minutes. Si tu veux connaître leur destination, c'est maintenant ou jamais.

Les deux enfants s'habillent en vitesse avec des vêtements chauds, enfilent deux paires de bas, enfouissent chacun un pain dans leur baluchon, puis vont se glisser sous la toile, à l'arrière de la charrette. Cinq minutes plus tard, Pierre et Georges embarquent en silence dans la voiture.

— J'ai omis d'en parler à ta mère, avoue le père en confidence. Elle s'inquiéterait pour nous.

— Les jumeaux fulmineront quand ils constateront notre absence, mais l'école me semble prioritaire.

— Je considère notre mission comme étant trop dangereuse pour les mêler à nos affaires, ajoute le père.

— Surtout si les gardiens de l'arsenal nous prennent la main dans le sac.

— Tout fonctionnera à merveille. D'après le plan, un officier de l'armée nous attend pour nous faciliter la tâche.

Sous l'épaisse toile, les clandestins écoutent la conversation sans vraiment en saisir la portée. Chose certaine, leur père les grondera sévèrement quand ils sortiront de leur abri. Surtout qu'ils devront bientôt révéler leur présence ; le froid du petit matin de ce vingt-trois février glace leurs membres. Pour ajouter à leur misère, de gros flocons commencent à tomber. Par chance, le lever du jour coïncide avec l'arrivée du soleil et la fin de la bordée de neige. La route cahoteuse secoue les jeunes passagers, dont le dos endolori leur fait regretter cette escapade matinale. Mais ils doivent encore patienter car, si Pierre découvre trop tôt leur présence, il les renverra à la maison sur-le-champ.

Au centre-ville de Plattsburgh, Pierre arrête la voiture pour permettre aux chevaux de se reposer un moment, et aux deux hommes de se restaurer. Georges attache les bêtes, les caresse et prend le temps de leur parler. Les jumeaux profitent de cette halte pour sortir de leur cachette ; ils laissent entrer les voyageurs dans l'auberge, soulèvent la toile avec prudence, puis les suivent à l'intérieur de l'établissement. Jeanne et Paul rejoignent leur frère et leur père, sous le regard furibond de ce dernier. Comme prévu, le chef de famille se retient de les sermonner pour éviter d'attirer l'attention des autres clients. Georges sourit quand il les voit s'asseoir et regarder leur père d'un air triomphant, alors que les yeux de Pierre lancent des flammes. Le frère aîné leur commande une boisson chaude, les aide à retirer les manteaux, puis leur masse les mains et le dos pour essayer de les réchauffer.

De son côté, Pierre garde les dents serrées :

— Nous en reparlerons à la maison.

Paul baisse les yeux pour s'empêcher de parler. Frondeuse, Jeanne répond du tac au tac :

— Nous avons commencé cette histoire ensemble, nous la terminerons ensemble !

— Nous désirons simplement participer à toutes les actions des patriotes, ajoute Paul.

— Les soldats sont formés pour guerroyer et pour tuer, pas pour jouer avec les enfants, lance Pierre, impatient.

— Nous grandissons vite, réplique le jumeau.

Paul prend une gorgée de lait chaud et remet le gobelet sur la table avec rudesse. Pour sa part, Georges essaie de tempérer les propos de chacun en proposant une solution.

— Les laisser combattre les militaires serait irresponsable de notre part, mais ils pourraient s'impliquer et poser des gestes non violents ou moins dangereux.

— À une condition, ajoute Pierre, son regard perçant braqué sur les adolescents. Dès votre retour, vous irez à l'école sans rouspéter.

Un court silence suit ses paroles, le temps pour la serveuse de déposer les plats commandés sur la table.

— D'accord, s'empresse de répondre le garçon.

Jeanne accepte à son tour, mais redoute tout de même la réaction de sa mère.

— C'est la patronne qui décide, soutient Pierre dans un éclat de rire. Elle aura donc le dernier mot.

Georges donne raison à son père et saisit cette occasion pour les ramener à la réalité.

— Bon, les amis ! Nous avons une mission à accomplir à Elizabethtown.

Après un repas des plus conviviaux, Pierre conduit la charrette à bonne allure. Georges confie aux enfants qu'ils prendront livraison d'un important chargement à la caserne de la ville en soirée. Embarrassé, le père tente de justifier son acte.

— Un messager de Robert Nelson nous a remis un peu d'argent pour les dépenses encourues. Cette excursion nous permettra d'acheter des vêtements pour les petits.

Les voyageurs arrivent à destination quelques heures plus tard. Ils dissimulent la voiture dans le boisé près de l'immeuble et attendent le bon moment avant d'entrer en jeu. À l'heure fixée par les instigateurs, Pierre et Georges, nerveux en raison du geste inhabituel qu'ils doivent poser, marchent dans le noir jusqu'au bâtiment. Les jumeaux ont reçu la consigne de surveiller les environs et de signaler toute présence indésirée grâce à leur imitation habituelle du hurlement d'un loup. Comme convenu, un militaire a laissé la porte arrière entrouverte. Pierre la pousse avec une extrême prudence, jette un coup d'œil soupçonneux aux alentours, puis, suivi de son fils, pénètre à l'intérieur.

L'officier de garde, présent sur les lieux, leur fait signe d'avancer. Il murmure à l'oreille de Pierre :

— Enfermez-moi dans une pièce et vous serez tranquille pour emporter les fusils. J'ai déjà fracassé la serrure. Une charrette et un cheval vous attendent derrière.

Les visiteurs exécutent l'ordre avant de s'introduire dans l'armurerie. Leur mission consiste à s'emparer du maximum de munitions. Georges approche les voitures près de la bâtisse. Au même moment, un homme à cheval arrive dans le sentier, passe tout près des intrus sans les voir et, au grand soulagement des Gagnon, s'éloigne aussitôt. Pendant que Jeanne continue à surveiller la route, les autres s'activent à charrier le matériel convoité. Ils attachent solidement les armes, puis les camouflent sous d'épaisses toiles. Ils déguerpissent en silence et retournent au plus vite à Champlain. En chemin, Georges s'inquiète :

— Si les policiers nous arrêtent avec un tel chargement, nous croupirons quelques années en prison.

— Selon les instructions, nous déchargerons la marchandise dans une maison de ferme près de Plattsburgh. Après, nous devrons oublier cette affaire.

— À quoi serviront ces munitions, papa ?

— À reprendre notre liberté, ma fille.

Même si cette réponse ambiguë laisse l'adolescente sur sa faim, elle renonce à poser plus de questions. Jeanne regarde le visage sombre de son frère aîné à la lueur de la pleine lune : ce dernier semble plus disposé à faire des confidences. Georges murmure alors à l'oreille de Jeanne :

— Une lutte féroce se prépare contre le général Colborne et son armée. D'autres exilés ont reçu l'ordre de piller l'arsenal de Watertown et celui de Batavia. Dans une semaine, des patriotes cambrioleront le dépôt de Potton, dans les Cantons-de-l'Est.

— Les volontaires de cette région disposeront de moins de fusils pour attaquer et terroriser les femmes, répond Jeanne avec un sérieux désarmant.

Les quatre voyageurs se débarrassent des armes chez un nommé Tanguay, au nord de Plattsburgh, puis filent à toute allure vers Champlain. À leur retour à la maison, Gabrielle, furieuse, les accueille avec une extrême froideur : son regard glacial condamne leur folle équipée nocturne. Même si Pierre ignorait la présence des jumeaux dans la charrette et essaie de lui expliquer, rien n'y fait. Elle reste de mauvaise humeur.

Quelques jours plus tard, la mère accepte néanmoins de laisser partir les jeunes avec leur père pour le Bas-Canada lorsque Georges lui parle du projet de ralliement de Robert Nelson.

— Jeanne et Paul rêvent de brandir le drapeau des patriotes depuis la bataille de Saint-Eustache. Ce serait dommage de les punir de la sorte. Nous veillerons sur eux.

— Georges, tu dois me promettre de les ramener tout de suite après la cérémonie. Et toi aussi, ajoute-t-elle en regardant son mari.

Le fils aîné y consent et court préparer les bagages, les jumeaux sur ses talons.

Avant leur départ, Pierre réussit quand même à lui voler un baiser et à lui arracher un sourire.

Déclaration d'indépendance

Au matin du vingt-huit février, avec Robert Nelson à leur tête, trois cents patriotes entament la traversée du lac Champlain en traîneaux à chiens. La longue caravane s'étire sur plusieurs lieues et se dirige vers Cadwell's Manor du côté cana-dien, où la halte se veut l'occasion de rallier les citoyens à la cause des rebelles.

En tant que président de la République du Bas-Canada, Nelson rend publique la déclaration d'indépendance et exempt le peuple canadien de toute allégeance à la Grande-Bretagne. Comme ils l'ont promis à leur oncle François à Saint-Eustache, Jeanne et Paul brandissent le drapeau tricolore des combattants. Présent à la cérémonie, Julien Gagnon lance des hourras, aussitôt repris par les participants.

— Vive la liberté !

— À bas la tyrannie !

— Justice et démocratie !

La foule crie sa satisfaction et tous se disent convaincus de vaincre les Britanniques. Plus tard, les rebelles se déplacent vers Noyan où ils émettent une seconde proclamation. Cette fois, Robert Nelson la signe à titre de commandant de l'armée et déclare :

— Nous déposerons les armes lorsque nous aurons procuré à notre pays l'avantage d'un gouvernement patriote et responsable.

Encore une fois, les réfugiés agitent le tricolore, scandent des slogans et des vivats. Un jeune messager aux longs cheveux marron surgit au même moment :

— Le colonel Ward et ses volontaires de Missisquoi ont appris votre arrivée ; avant d'attaquer, ils attendent le colonel Bouth et les troupes de la reine. Ils arrivent d'Henryville.

Pierre juge que le temps est venu de tenir sa promesse et de ramener les jumeaux à leur mère. Les Gagnon laissent les attelages à leurs camarades, puis se dirigent du côté de Lacolle. Six hommes décident de les accompagner à travers bois. Une patrouille de miliciens à cheval, bien armés, passe tout près. Les patriotes accélèrent le pas pour empêcher une possible escarmouche, mais, contre toute attente, les loyalistes, déterminés à pourchasser les rebelles, parviennent à suivre leurs traces dans la neige.

Pierre demande aux enfants et à ses compagnons de continuer leur marche vers Rouse's Point, quoi qu'il arrive. Pour faire diversion, Pierre avance dans le sentier et casse des branches pour attirer les Anglais. La manœuvre fonctionne : des coups de feu résonnent, des mises en garde au nom de la reine se font entendre, puis un lourd silence s'installe dans la forêt.

Inquiet pour la sécurité de son père, Georges enjoint aux autres fuyards de poursuivre leur chemin ; suivi des jumeaux, et malgré la recommandation de son père, il retourne sur ses pas. Dissimulé derrière des cèdres enneigés, le trio voit Pierre, les mains attachées, poussé dans le dos par ses ennemis. À coup sûr, ils l'emprisonneront à Montréal en compagnie de centaines de détenus politiques déjà au cachot.

— Filons à Champlain, murmure l'aîné. Nous devons prévenir maman.

— Non ! Il faut ramener papa à la maison, chuchote Jeanne, le cœur serré.

Des larmes coulent sur les joues des trois enfants Gagnon, transformées aussitôt en cristaux blancs sur leur visage. Paul serre Jeanne dans ses bras et éponge ses larmes sur le manteau d'étoffe de sa sœur. Rempli de culpabilité, il lui promet de libérer leur père :

— C'est notre faute ! Il s'est sacrifié pour nous.

— C'est la faute de la guerre, répond Georges, des sanglots dans la voix.

Après plusieurs minutes de marche en silence à ruminer leur peine, Georges et les jumeaux entendent des cris et des pleurs. Les trois jeunes gens se figent un moment, le temps de reprendre leurs esprits. Les plaintes continuent et s'intensifient. Paul s'élance vers une lueur à sa droite, mais son frère l'arrête aussitôt.

— Et si quelqu'un voulait nous attirer dans un piège ? Nous devons rester prudents.

Le jeune homme s'approche lentement en rampant dans la neige. Il aperçoit alors une maison en flammes, près de laquelle une femme et des enfants courent dans tous les sens.

— Saute dans la neige ! hurle la mère.

— J'ai peur, maman !

Une adolescente crie à l'aide du second étage de la demeure familiale. Le feu lèche quelques fenêtres et une fumée noire a envahi les pièces du haut. Georges inspecte les lieux pour vérifier si des soldats ou des volontaires rôdent dans le voisinage. Le jeune homme se dirige vers la chaumière. Il remarque un garçon blessé, tout près, étendu sur le sol glacé.

— Au secours !

— Tenez bon ! répond Georges.

— Sauvez ma fille ! Je vous en supplie, demande la femme, surexcitée.

— Où se trouve l'échelle ? s'informe-t-il avec sang-froid.

— Je l'ai appuyée contre le poulailler. Derrière.

Le nouveau venu semble voler au-dessus de la neige. Il se précipite aussitôt vers l'endroit indiqué, puis revient avec l'échelle, dont le barreau du bas est manquant ; il l'installe contre le mur et grimpe sans penser au danger. Rendus sur les lieux, les jumeaux lui recommandent la plus grande prudence.

— Venez, mademoiselle ! Je vais vous sortir de là et vous ramener saine et sauve sur la terre ferme.

La jeune fille hésite un instant avant de tendre les mains, puis consent à se laisser guider. Elle s'accroche au cou de son sauveur, pose la tête sur l'épaule de celui-ci et tous les deux descendent avec une extrême lenteur. Le garçon peut sentir le souffle tiède de la rescapée, dont les lèvres touchent sa joue glacée. Le sauveteur oublie le barreau manquant et le couple tombe dans la neige, enlacé.

À la lueur des flammes, ils se regardent dans les yeux et restent ainsi plusieurs secondes à se dévisager l'un l'autre. Sans l'arrivée de la mère, et en dépit de l'urgence du moment, Georges aurait peut-être volé un baiser à la belle inconnue. Il se demande comment elle aurait réagit si...

— Je te remercie de m'avoir sauvée, murmure la jeune fille, de sa douce voix tremblante.

— Quel est ton nom ?

— Eugénie Pinsonneault. Et toi ?

— Georges Gagnon. Quel joli prénom tu portes !

— Merci.

Les jumeaux se regardent et demeurent perplexes devant l'attitude étrange de leur frère : il semble perdu dans le regard de la jeune fille. Paul intervient :

— Nous devrions nous enfuir d'ici au plus vite au lieu de parler.

Reconnaissante, la mère embrasse le sauveur de sa fille, puis court réconforter son fils. À son tour, Jeanne se précipite vers le jeune homme aux yeux bleus et aux cheveux noirs afin de lui venir en aide. Du sang coule de son bras ; elle déchire sa manche de chemise d'une main ferme et applique un pansement.

— Ma jambe !

Une longue déchirure de son pantalon à la hauteur du mollet laisse entrevoir l'os à vif.

Pendant ce temps, madame Pinsonneault rassemble ses cinq enfants dans la grange pour les mettre à l'abri du froid. Georges et Paul y transportent le blessé, au physique imposant et âgé d'environ dix-sept ans, enveloppé dans une couverture. La mère raconte les événements, assaillie par les sanglots :

— Les volontaires ont battu Oscar et l'ont frappé à coup de crosse de fusil. Ils cherchent mon mari, et mon fils a refusé de le dénoncer.

— J'imagine très bien la scène, madame. Où irez-vous cette nuit ? Une étincelle et le bâtiment partira en fumée.

— Le vent souffle en sens contraire. Nous pourrons sans doute sauver les animaux.

— J'attelle un cheval à la charrette pour vous permettre d'aller passer quelques jours chez des parents ou des amis.

— Nous partirons quand la maison s'effondrera. Ma sœur demeure plus loin sur le rang ; je lui demanderai de m'héberger cette semaine, le temps de m'organiser.

— Vous traversiez le sentier au lieu de prendre la route, constate Oscar. Je devine que vous fuyez les soldats.

Tandis que Georges et Eugénie se regardent dans les yeux, les jumeaux racontent à Oscar les déboires de leur famille avec l'armée coloniale.

— Notre père vient juste de se faire arrêter par la milice, poursuit la jumelle ; qu'allons-nous dire à notre mère ?

— Nous lui avons surtout juré de retourner ce soir à Champlain, remarque Paul.

Georges acquiesce d'un signe de tête, salue les Pinsonneault et promet de revenir les aider à construire un abri pour l'hiver. Oscar les remercie chaleureusement.

— Tu seras toujours le bienvenu, s'empresse de répondre Eugénie.

Un dernier sourire, puis l'aîné entraîne sa sœur et son frère dans la forêt. Les jeunes gens traversent la frontière dans le plus grand silence. Ils imaginent le chagrin de leur mère à l'annonce de la capture de son bien-aimé. Après trois heures de marche, les voyageurs arrivent au milieu de la nuit. En ouvrant la porte, l'odeur du pain chaud les accueille. Inquiète, Gabrielle fait les cent pas dans la cuisine. Pour passer le temps en soirée et, surtout, chasser ses idées noires, elle a aussi préparé des galettes. En constatant l'absence de son mari, elle en devine tout de suite la raison.

— Les bureaucrates l'ont-ils capturé ?

Sans attendre de réponse, Gabrielle se laisse tomber sur une chaise et éclate en sanglots. Atterrés, les enfants embrassent leur mère, puis se retirent dans leur chambre pour un repos bien mérité.

Quelques jours plus tard, le cousin Julien Gagnon accourt pour obtenir plus d'information. L'homme, de taille moyenne et aux cheveux foncés, semble aux abois. Impétueux et déterminé, « Gagnon l'habitant », comme le surnomment avec bienveillance ses compagnons d'armes, jure de venger son cousin et de tout faire pour le sortir des griffes de Colborne.

— Je vais joindre mes amis pour trouver de l'argent. Les gardiens et les fonctionnaires résistent rarement devant quelques pièces.

Le notaire Demaray et le docteur Davignon, effondrés par la fatalité qui accable les Gagnon, viennent aussi réconforter Gabrielle.

— Je veux vous rassurer, promet Demaray. Nous vous soutiendrons dans cette épreuve.

— Dormez l'esprit tranquille, ajoute Davignon. Vos enfants mangeront à leur faim cet hiver. Nous y veillerons personnellement.

— Je vous remercie. Nous vivons dans l'humiliation depuis des mois ; ma famille s'en remettra sans doute.

Après le départ de ses amis, Gabrielle s'enferme dans le silence. De leur côté, désireux de rester invisibles pour l'instant et de faire le moins de bruit possible, les jumeaux retournent à l'école. Georges s'occupe des quatre plus jeunes. La petite Agnès pose des questions sur l'absence de son père, mais le frère aîné tourne tout à la blague et la petite fille oublie aussitôt ses interrogations.

Tous attendent la décision de leur mère. Comment parviendront-ils à adoucir la détention du prisonnier ? Voudra-t-elle se rapprocher de Montréal ? Toutefois, Pierre en prison, les militaires les laisseront en paix. Après des jours de réflexion, Gabrielle décide de passer l'hiver en exil : elle trouvera plus facilement une maison à l'été. Sa décision prise, une inquiétude de moins la tenaille : Pierre absent, les enfants se montreront peu enclins à participer aux actions clandestines.

La vie en prison

Dès leur retour de l'école, Jeanne et Paul passent leur temps libre dans la forêt, où ils rejoignent Georges pour s'entraîner au tir à l'arc et au fusil. À ses heures, le frère aîné leur enseigne comment poser des collets pour piéger les lièvres et les perdrix ; mais, depuis sa rencontre avec la belle Eugénie, sa famille le voit moins souvent.

Malgré les risques, le jeune homme traverse la frontière deux fois par semaine pour revoir Eugénie, dont le père patriote a dû se réfugier aux États-Unis. Fidèle à sa promesse, il aide Oscar à construire une cabane en bois rond pour sa famille. Georges ressent un tel bien-être en compagnie de la jeune fille qu'il pense s'installer à Lacolle lorsque son père sortira du pénitencier.

Pendant ce temps, Pierre goûte à la dure réalité de la prison du Pied-du-Courant. Entassés dans une cellule commune, les prisonniers se risquent à parler discrètement. Le détenu Robert-Shore-Milnes Bouchette le renseigne sur l'endroit :

— Cette bâtisse récente compte trois étages remplis de prisonniers politiques.

— Je trouve la discipline très sévère, murmure le captif. En plus, les employés nous nourrissent souvent au pain et à l'eau, sans parler du fait que nous devons garder un silence absolu. C'est vraiment absurde.

— Les conditions de détention devraient se détériorer à court terme, affirme Nelson. John Colborne a suspendu la Constitution de 1791 ; son conseil gouvernera uniquement par ordonnance.

Au fil du temps, Pierre rencontre plusieurs compagnons d'armes de Saint-Denis et de Longueuil ; Wolfred Nelson, Siméon Marchesseault et Bonaventure Viger figurent parmi eux. Il revoit aussi son beau-frère, François Mallette, aux côtés duquel il a combattu à Saint-Eustache. Les soldats l'ont arrêté quelques jours après la bataille de décembre 1837. Contre toute attente, cependant, les autorités atténuent la rigueur des règles et s'aperçoivent que ces terribles rebelles se composent avant tout de gens simples. Marchesseault cache difficilement son mépris envers les employés et les gardiens :

— La majorité des officiers, à commencer par le directeur de la prison, Rock de Saint-Ours, sont canadiens-français.

— Je déteste les chouayens[1].

— Ils préfèrent obéir aux Anglais plutôt que d'appuyer leur peuple, ajoute Mallette.

— Par chance, Rock de Saint-Ours compte de la parenté et des amis à l'intérieur des murs.

— Cette situation est une bonne affaire pour nous, affirme Bouchette. Ils commencent à mieux nous nourrir et à mettre des poêles efficaces.

L'abondante chevelure aux boucles noires de Bouchette bouge à chacun de ses mouvements. Affable, sympathique, dans la jeune trentaine, il est le plus ardent patriote de Québec. Il a même réussi à se faire plusieurs amis parmi le personnel du pénitencier.

Note 1 : Appellation utilisée au temps de la Révolution française, le terme Chouans désigne les paysans royalistes du Maine et de Bretagne qui prirent les armes contre la première République française (LAROUSSE, 1989 : 2204).

Pierre l'interroge sur l'origine de son prénom.

— Je le dois à mon parrain, lieutenant-gouverneur en 1805. J'ai déclenché un vrai scandale en me joignant au parti de Papineau ; mes parents ont toujours appuyé les bureaucrates. Si j'avais suivi les conseils de leurs relations, aujourd'hui, je me retrouverais de l'autre côté des barreaux à servir Colborne.

— Votre femme accepte-t-elle la situation ?

— Mon épouse Mary Ann est décédée l'année de notre mariage, pendant l'épidémie de choléra asiatique de 1834. Je l'avais rencontrée lors d'un voyage en Europe. L'inaction des Britanniques m'a révolté, mais, en même temps, ma pensée sociale a évolué avec les idées de Papineau.

Le jeune homme ferme les yeux un moment, comme s'il pensait à la belle Mary Ann, puis change de sujet :

— Depuis l'assermentation de lord Durham, les détenus peuvent se promener dans les corridors et la cour de la prison ; les gardiens nous autorisent aussi à discuter entre nous ; nous commençons à recevoir de la visite et à obtenir de l'aide.

— J'espère que le gouverneur fera preuve de clémence, poursuit Nelson. Il libérera sans doute plusieurs captifs, comme le veut la coutume quand un nouveau entre en fonction.

*****

Quand Gabrielle apprend la nouvelle de l'arrivée de Durham, plusieurs semaines plus tard, elle retrouve l'espoir de revoir son mari. La famille retournera au Bas-Canada à la fin des classes, travaillera la terre, puis construira une maison confortable. La petite Agnès saute de joie :

— Papa revient ! Papa revient !

Mais son père se fait attendre. Les larmes aux yeux, la petite fille le réclame tous les jours et passe de longs moments à la fenêtre à fixer l'horizon. Georges reste sceptique ; il serait très surpris que les autorités relâchent son père. Pour eux, Pierre Gagnon s'avère un homme dangereux.

— Si on lui rendait visite ? propose Jeanne.

— Nous pourrions l'aider à s'évader ! clame Paul. D'autres ont réussi avant lui.

— Cette opération semble plus facile à dire qu'à réaliser.

— Je sais, Georges, mais j'ai l'impression de perdre du temps à espérer et à me tourner les pouces au lieu d'agir.

Gabrielle écoute parler ses enfants avec une certaine tristesse dans le regard. Elle replace une mèche de cheveux blonds tombée sur son front, puis prend son petit Philippe dans ses bras pour l'endormir : les enfants ont vieilli trop vite à son goût, sans doute en raison des épreuves de la dernière année. Normalement, ils joueraient dehors avec les jeunes du voisinage, grimperaient aux arbres et imagineraient des tours pendables. Aujourd'hui, ils s'entraînent à viser des cibles, lancent des couteaux comme de vrais professionnels, en plus de chasser le gros gibier à la manière des hommes. Et la rébellion risque de reprendre :« *Comment cette révolte finira-t-elle ?* » se demande Gabrielle. *Ma famille pourrait en payer le prix fort toute sa vie.* L'emprisonnement de Pierre et le déracinement l'ont déjà beaucoup éprouvée.

※ ※ ※ ※ ※

Pendant ce temps, le sourire aux lèvres, madame Émilie Gamelin et plusieurs de ses amies arrivent au pénitencier.

— Nous avons reçu la permission de rendre visite aux détenus, affirme madame Marguerite Gauvin, surnommée « l'ange des prisonniers ». Son fils, le docteur Henri-Alphonse Gauvin, a lui aussi pris le chemin des cellules. Sa mère se dévoue à soutenir les patriotes, aide les captifs, les console et les encourage : la présence de ces femmes à la prison du Pied-du-Courant leur permet de tenir le coup.

Depuis quelques semaines, cependant, la détention de deux Américains a fait naître des rumeurs et suscite des conversations à voix basse. Nelson réussit à obtenir de l'information du gardien, qu'il s'empresse de partager avec ses amis :

— Dodge et Thiller ont déjà subi un procès pour haute trahison. Ils ont appuyé la révolte du Haut-Canada, mais n'ont pas encore reçu de sentence.

— Les autorités pensent-elles retourner en cour pour porter d'autres accusations contre eux ? demande Pierre.

— Au lieu de les juger, Durham a décidé de les transférer à la Citadelle de Québec.

Le même jour, ils apprennent que dix prisonniers politiques les accompagneront, dont Pierre. Atterré par la directive, le détenu pense à sa famille, exilée aux États-

Unis. Tous embarquent sur le vapeur *British America* ; le bateau jette l'ancre à Québec le dix juin 1838. Quand Gabrielle arrive à Montréal avec ses sept enfants pour voir son mari, elle append la nouvelle de son départ de la bouche de Rock de Saint-Ours, le directeur de la prison.

Je ne discute jamais des décisions du gouverneur Durham et du général Colborne.

— À quand un procès ?

— N'ayez crainte, les juges le puniront un jour pour ses actes.

— Il devrait obtenir une médaille pour avoir combattu l'injustice et la tyrannie, déclare Gabrielle en colère.

— Prenez garde à vos paroles et pensez à vos petits, répond Saint-Ours avec rudesse. Vous risquez de passer quelques nuits à l'ombre pour votre insolence.

Georges saisit sa mère par le bras et l'entraîne vers la sortie.

— Les plus faibles ont toujours tort, lance la femme, déçue de cette nouvelle.

— Vous dites sans doute vrai, mais les patriotes luttent pour une cause perdue ; les maîtres de ce pays possèdent des armes et des soldats.

— Viens, maman ! répète son fils.

— Est-ce une raison pour vous et vos semblables canadiens d'obéir aux colonisateurs pour jouir de privilèges ?

Saint-Ours somme Gabrielle de quitter l'enceinte de la prison sous peine d'arrestation. Cette fois, Georges et Paul la tirent par les manches, tandis que Jeanne la pousse dans le dos. Agnès entraîne Marc d'une main et serre celle de son frère aîné de l'autre ; lui-même tient Philippe par le bras. De son côté, Paul saisit Robin par le manteau ; il crie sans arrêt. La joute oratoire entre les deux parties pourrait sembler amusante, mais aucun témoin ne peut en rire, surtout pas les gardiens et le directeur. Devant cette scène pathétique, des prisonniers dans les fenêtres versent des larmes en pensant à leur famille respective.

Furieuse, angoissée, ignorant comment réagir devant une situation aussi désastreuse, Gabrielle sanglote lorsqu'elle monte dans la diligence. Elle demande à Georges de les conduire chez sa sœur Odile, à Saint-Athanase, pour essayer de se changer les idées. Quand Georges raconte l'algarade entre Gabrielle et Saint-Ours à sa tante, elle éclate de rire et lâche :

— Avec des parents comme les vôtres, ne vous posez plus de questions à propos de vos fichus caractères !

— Surtout les jumeaux, répond Georges, avec un petit clin d'œil malicieux. Je dois constamment veiller sur eux pour les empêcher de commettre des bêtises.

Jeanne proteste, aussitôt appuyée par son frère. Un agréable repas en compagnie d'Odile et de ses deux fils, Charles et Jérôme Lapalme, donne le ton à la soirée : la famille Gagnon en oublie presque l'altercation de la journée avec le directeur de la prison. Georges discute avec les deux hommes dans la vingtaine ; il s'entend bien avec ses cousins et tous promettent de se revoir.

Selon eux, leur groupe accumule des armes à Saint-Athanase et surveille le dépôt jour et nuit. Georges leur donne des nouvelles du notaire Demaray et du docteur Davignon. Après le thé, les jeunes Lapalme conduisent leur cousin à une grange voisine, où un recruteur s'apprête à procéder à une initiation des Frères Chasseurs. Aux aguets, Jeanne et Paul s'habillent en vitesse et les suivent dans la plus grande discrétion. Ils se postent derrière le bâtiment pour guetter l'entrée des participants à la soirée et, surtout, découvrir les mystères de la loge.

François Nicolas, un instituteur de l'Acadie, agit comme initiateur et appelle les recrues. À travers les fentes des planches, les jumeaux voient défiler les nouveaux, les yeux bandés ; ils prêtent serment. Une discussion inattendue survient vers la fin de la cérémonie, au moment où Nicolas prend la parole.

— Je dois m'acquitter d'une tâche désagréable et vous devez me donner votre accord.

— Que se passe-t-il ? demande le charpentier Pierre Macé.

Tous s'informent et certains paraissent préoccupés en raison des propos du chef, qui baisse les yeux et semble hésiter.

— Un traître s'est infiltré parmi nous ; il menace notre existence, la tranquillité de nos femmes et celle de nos enfants.

— Dévoile son identité ! hurle une voix anonyme.

Les cris d'indignation fusent de toute part ; chacun regarde son voisin en se questionnant sur ses intentions. L'attente et les suspicions deviennent intolérables ; tous désirent savoir le nom du délateur et, en même temps, craignent de démasquer un parent ou un ami.

— Connais-tu vraiment le délateur ? demande Jérôme.

— Le serpent ! siffle Georges.

— Ce Judas doit payer pour sa trahison, lance un autre.

— À mort !

Sur ces propos, un homme près de la grande porte déguerpit en vitesse et court à travers champs pour essayer de sauver sa vie. Le forgeron du village, fort et rapide, le poursuit jusqu'à la forêt pour lui régler son compte. Les jumeaux prennent à leur tour la poudre d'escampette et retournent chez leur tante Odile, avec un autre secret à garder au fond du cœur.

Le lendemain matin, après une nuit de repos, Gabrielle reprend le chemin de Champlain ; la famille y résidera jusqu'au retour de Pierre. Au moins, il saura où les trouver si le gouverneur Durham le libère de la prison de Québec.

L'éveil de l'amour

Le temps et les rumeurs donnent raison à Gabrielle : pour prouver sa bonne foi, le gouverneur s'engage à relâcher des prisonniers. Par contre, les anglophones s'activent et leurs journaux publient des articles incendiaires. Le *Montreal Herald* ouvre la danse :

« Il n'y a en vérité qu'un seul moyen d'arranger ces affaires, c'est de recourir à la manière rigoureuse, quoique nécessaire, de rendre les habitants de cette province sujets britanniques et d'en faire des Anglais de fait, autant que de nom. Il faut que les Canadiens soient anglicisés dans toutes les institutions civiles et politiques. »

Le journal *Missisquoi Standard*, publié à Frelighsburg, prodigue ses conseils à lord Durham : « C'est une folie de la part des

Canadiens français de lutter contre leur destinée. Il est impossible qu'une poignée de Français, à l'extrémité nord-est de l'Amérique, s'élève au rang de nation, contre le génie entreprenant d'une race qui a déjà couvert tout le continent. C'est plus que de la folie ; depuis 1791, jusqu'à l'année dernière, les Français ont travaillé à conjurer leur sort... »

Pendant ce temps, le gouverneur réfléchit. Il doit d'abord trouver une solution aux problèmes des détenus qui s'entassent dans les prisons ; il s'occupera ensuite de la question constitutionnelle.

À Champlain, chez les Gagnon, la vie continue, paisible, presque ennuyante, compte tenu des récents incidents. Gabrielle en profite pour cajoler les enfants, les jumeaux étudient, et l'amour attire Georges à Lacolle. À chacune de ses visites, la nouvelle maison des Pinsonneault avance et l'affection du jeune homme pour cette famille grandit de jour en jour. Le soir, Oscar joue de la guitare, chante et agrémente le quotidien de tous. Ces rencontres permettent aux amoureux de faire connaissance ; Eugénie et Georges se promènent main dans la main dans le village et dans les sentiers forestiers.

— Je suis heureux de connaître ta famille.

— Oscar apprécie vraiment ton aide et t'aime beaucoup.

— Et toi ? s'enquiert le jeune homme.

Eugénie baisse les yeux et regarde le sol. Elle répond enfin à la question de son ami de cœur.

— Je voudrais te voir ici tous les jours.

Georges, l'air ravi, ose poser ses lèvres sur la joue de la jeune fille ; elle fixe sur lui un regard étincelant et l'embrasse à son tour. Elle se sauve ensuite dans les bois ; Georges la poursuit au pas de course, comme elle l'espérait, et tous deux jouent à cache-cache dans la cédrière, tout en riant et en criant de joie. Le jeune homme éprouve un réel bien-être à côtoyer cette femme merveilleuse.

Malheureusement, un volontaire d'Henryville, en patrouille dans la région, a remarqué Georges lors d'une promenade à Lacolle. Le milicien s'empresse de le dénoncer aux autorités et soutient l'avoir aperçu à Noyan, au moment de la déclaration d'indépendance de Robert Nelson, en compagnie de Julien Gagnon et du docteur Octave Côté.

Un soir, peu de temps avant de traverser la frontière à cheval en direction de Champlain, cinq bureaucrates surgissent de nulle part et interceptent Georges. Quand ils descendent le jeune homme de force de sa monture, la bête prend le mors aux dents et disparaît dans la forêt. Si le cheval retourne chez les Pinsonneault, comme le croit Georges, Eugénie et Oscar partiront à sa recherche et préviendront Gabrielle.

— Aucun mandat d'arrêt n'a été lancé contre moi. Vous faites sûrement erreur sur la personne.

— Je sais reconnaître un traître quand j'en vois un.

Le sourire moqueur du milicien en dit long sur la fierté que lui procure le fait d'avoir arrêté un fils de patriote. Les chasseurs de primes frappent leurs mains ensemble et se félicitent de leur bon coup.

— Qu'allez-vous faire de moi ? demande Georges, inquiet.

— Les soldats te conduiront à la prison de Montréal avec tes semblables.

— J'espère que les juges vous condamneront tous à des peines très sévères, hurle un autre avec mépris et suffisance. Nous retrouverons la paix pour longtemps.

— Vous devriez plutôt vous interroger sur les raisons d'une révolte contre le pouvoir. Réfléchissez et vous trouverez.

— Les gouverneurs vous ont accordé trop de liberté. Aujourd'hui, nous en payons le prix.

— Une liberté avec une baïonnette dans le dos. Nous répondons avec les mots injustice, tyrannie, dictature et...

— Tu parles trop, réplique un milicien. Je pourrais te couper la langue et te la fermer pour toujours.

Sur ces propos menaçants, les volontaires amènent Georges à Lacolle pour le livrer aux militaires. Le jeune homme pense à l'angoisse de sa mère et se demande quand il reverra sa belle Eugénie. *Peut-être croira-t-elle que je l'ai abandonnée : elle m'oubliera et trouvera un autre amoureux,* se dit le prisonnier. L'adolescent passe sa première nuit de captivité les yeux grands ouverts, le cœur rempli de chagrin, les pensées confuses, mais plus déterminé que jamais à se révolter.

Un fils en captivité

Au petit matin, Eugénie et Oscar aperçoivent le cheval sellé de Georges près de l'étable. La mine réjouie, la jeune fille cherche son amoureux dans les environs. Le frère et la sœur marchent autour des bâtiments, arpentent le sentier en bordure de la forêt, mais ne trouvent aucune trace de Georges. Eugénie doit se rendre à l'évidence : un malheur est sans doute arrivé à son bien-aimé.

— Oscar, fais quelque chose ! Peut-être s'est-il frappé la tête sur une branche et gît-il, blessé, au milieu du bois ?

Devant le visage soucieux de sa sœur, Oscar décide d'aller à Lacolle pour s'enquérir de la disparition de Georges. Sa mère, Anne, partage le même avis.

— Nous nous occuperons des animaux pour ce matin, mon garçon. Flâne autour des édifices officiels et pose des questions. Je crois plutôt que les volontaires l'ont arrêté près de la frontière.

Inquiet en raison des paroles de sa mère, Oscar galope jusqu'au village. Après avoir interrogé quelques personnes, une femme édentée confirme ses terribles doutes :

— J'ai observé des soldats qui malmenaient un beau garçon aux cheveux blonds.

— Savez-vous où ils l'ont emmené ?

— À la prison avec les rebelles.

Quand le cavalier arrive devant le bâtiment, il voit des militaires embarquer le prisonnier dans un fourgon en compagnie de cinq autres détenus.

— Ils se rendent à La Prairie où le *Princess Victoria* les amènera à Montréal, lui apprend un témoin.

« Il se retrouvera dans l'établissement que vient de quitter son père » murmure le jeune homme au bord des larmes. Georges l'aperçoit par le carreau et le salue discrètement de la tête. La présence d'Oscar apaise ses appréhensions : au moins, il préviendra sa mère et Eugénie, et Gabrielle saura où se trouve son fils. La rage au cœur, triste, Oscar retourne à la maison en bois rond, dont l'extérieur est maintenant terminé. Eugénie reste figée comme une statue de cire quand son frère lui raconte l'arrestation de son ami. Elle éclate en sanglots et se réfugie dans la grange : *Mon Georges tiendra sa promesse et reviendra. Au jour de l'An, il demandera à mes parents de lui accorder ma main. Après tout, il aura bientôt dix-sept ans. Nous pourrons nous marier dans deux ans.*

Eugénie esquisse un léger sourire devant la perspective d'un dénouement si heureux, même si une tristesse indéfinissable envahit son esprit. Qu'arrivera-t-il à Georges en prison ? Les soldats le maltraiteront-ils encore une fois ? Comment le sortir de cet enfer ? Seule, Eugénie se sent inutile. Gabrielle, déjà très éprouvée par l'emprisonnement de son mari, doit absolument savoir. Torturée par toutes ces pensées, la jeune Pinsonneault pleure toute la journée. Afin de se changer les idées, son frère saisit la hache et entre dans la forêt pour récupérer des arbres morts et les couper en rondin afin de chauffer le poêle à bois. Il voudrait tant rejoindre son ami et le protéger contre ses ennemis.

*****

Pendant ce temps, les patriotes croupissent au fond de leur cellule et, surtout, ignorent quel sort leur sera réservé. Bouchette commente la vie faste des fonctionnaires, alors qu'eux végètent au pénitencier.

— Selon les gardiens, le nouveau gouverneur invite des gens de différentes tendances politiques à dîner, pendant que la comtesse de Durham convie les dames de la belle société.

Friands de ces faits divers, les journaux parlent de l'actualité quotidienne sous le régime de Durham. Les Anglais lui reprochent sa proximité avec les Canadiens français et le thème de l'assimilation revient régulièrement dans les écrits des chroniqueurs anglophones. Habile à se faire des amis, Nelson reçoit des nouvelles des officiers et partage les informations avec ses codétenus.

En prison, l'existence continue, terne et monotone, mais l'arrivée du garçon a créé un certain émoi parmi les prisonniers : tous veulent protéger le fils de Pierre Gagnon, Wolfred Nelson le premier. Au fil des jours, Georges a découvert une dizaine de jeunes hommes d'âge mineur dans les cachots du Pied-du-Courant. Au cours de sa détention, un événement inattendu lui apporte un vent de fraîcheur. Le jeune homme rencontre son oncle François pour la première fois.

— Tu ne devrais pas vivre dans cet enfer. Quelqu'un t'a-t-il interrogé ?

— Un enquêteur viendra sans doute bientôt.

François relate à son neveu les circonstances du départ de son père et lui fait part de sa sympathie.

— Pierre comptait beaucoup sur toi pendant son absence.

— Ma mère n'a reçu aucune nouvelle de lui depuis son transfert à Québec. Je m'inquiète beaucoup pour elle. Je ramenais du petit gibier à la maison et, souvent, elle vendait de la viande sauvage pour gagner de l'argent.

— Les femmes subissent les conséquences de la révolte de leur mari, déclare Nelson, profondément attristé.

— Maman boulange trois fournées par semaine et vend ses pains aux voisins. Plusieurs vont en acheter directement à la maison. Que va-t-il arriver aux enfants ?

Wolfred entoure les épaules de Georges d'un bras chaleureux et François essaie de le réconforter :

— Les jumeaux trouveront sûrement le moyen d'alléger le chagrin des petits. Je les ai connus à Saint-Eustache et ils m'ont semblé plutôt débrouillards.

— Trop à mon goût, parfois, je l'admets volontiers. Paul et Jeanne m'étonnent tous les jours et sont aussi entêtés que notre père. Je dois d'abord rassurer ma mère et lui dire que je me porte bien.

— Nous demanderons à madame Gauvin de lui écrire une lettre. Elle et ses amies se dévouent pour les prisonniers.

Georges, soudainement silencieux, replace une mèche blonde : il pense à ses frères et sœurs, puis à la belle Eugénie et à sa longue chevelure de jais.

*****

Le lendemain matin, Oscar se lève très tôt pour traire les vaches, puis réveille sa sœur avant de seller deux chevaux ; Eugénie revêt les vêtements de son frère. Tous deux avalent un copieux déjeuner, empilent de la nourriture dans un fourre-tout et se dirigent au galop vers les États-Unis. La journée ensoleillée facilitera leur expédition. Décidée à mettre Gabrielle au courant de l'arrestation de Georges, la jeune fille a persuadé Oscar de l'accompagner jusqu'à Champlain, puisque sa mère, Anne, a refusé de la laisser partir seule. Malheureusement, à quelques minutes de la frontière, les deux cavaliers tombent sur une patrouille de volontaires. Les voyageurs se mettent un foulard sur la bouche pour empêcher les miliciens de les reconnaître.

— Halte ! Qui va là ?

Convaincus de pouvoir atteindre l'État de New York, les jeunes Pinsonneault galopent et se fient à leurs montures pour semer les trois poursuivants qu'ils entendent crier derrière eux.

— Arrêtez, au nom de la reine !

— Au diable Victoria ! hurle Oscar.

Excellents cavaliers, ils se faufilent à travers bois et parviennent à échapper de justesse à leurs assaillants. Près de Champlain, ils rencontrent six familles d'exilés en route pour Plattsburgh. Une femme, accompagnée de ses quatre enfants, se déplace pieds nus dans la forêt.

— D'où venez-vous, si mal en point ?

— Nous demeurions à Sainte-Marie, répond la pauvre femme.

— Et nous, à Saint-Hyacinthe, lance une autre. Mon mari, Théophile Barbeau, est tombé lors de la bataille de Saint-Charles.

Les Britanniques nous ont retrouvés. Ils ont volé nos animaux, pillé nos greniers et détruit nos maisons.

— Jamais nous ne retournerons au Bas-Canada, jure son garçon de neuf ans. Nous allons à Plattsburgh pour y rester.

Eugénie descend de son cheval, offre ses provisions à la veuve et lui enveloppe les pieds avec son foulard et celui de son frère.

— Suivez-nous jusqu'à Champlain, des sympathisants vous donneront de la nourriture et des vêtements.

Le groupe talonne les deux adolescents jusqu'au magasin général, où le propriétaire prévient les femmes charitables du village. Elles leur fournissent le nécessaire, puis tous reprennent la route. Fatigués, mais heureux de leur bonne action, les deux fuyards arrivent indemnes chez les Gagnon. Jeanne court à leur rencontre et les accueille avec chaleur. Gabrielle pressent la mauvaise nouvelle et devine que l'absence de son fils se prolongera peut-être long-temps. Elle éclate en sanglots quand la jumelle lui présente les visiteurs, mais ouvre les bras et les serre de toutes ses forces. Eugénie confirme les appréhensions de Gabrielle, tandis qu'Oscar raconte le départ de son ami pour Montréal.

— J'irai parler au responsable de la prison. Saint-Ours reste un chouayen, mais il a sans doute un peu de cœur.

— Il ignore peut-être l'âge de Georges, précise Jeanne.

— J'en doute, répond Oscar. Pour eux, il s'agit d'un patriote de moins en circulation.

— Allez chercher Paul, mais ne lui dites rien, recommande Gabrielle. Je vais lui annoncer la mauvaise nouvelle moi-même.

À ces mots, Jeanne invite Oscar à partir à la rencontre de Paul, probablement sur le chemin du retour, pour lui demander de rentrer à la maison. Elle accompagne le jeune homme dehors et lui indique le sentier à emprunter. Eugénie profite de ce bref tête-à-tête avec Gabrielle pour lui révéler son intention de se marier avec son fils dans quelques années. La mère de Georges émet des réserves.

— Je crois qu'il s'agit d'une décision prématurée, Eugénie. Vous avez amplement le temps de prendre des responsabilités aussi importantes ; vous êtes trop jeunes pour fonder une famille. En plus, je trouve le climat politique difficile, peu propice à cet engagement.

— Je vous écoute et j'entends ma mère me répéter les mêmes mises en garde.

— Vous aurez besoin d'aide et de beaucoup d'amour pour passer à travers les embûches de la vie à deux.

Jeanne ouvre la porte au bon moment pour saisir la dernière phrase et mettre son grain de sel.

— J'adore les mariages ! lance la jumelle, les yeux pétillants.

— Je vous rassure, nous nous aimons, madame ; nous travaillerons fort pour réaliser notre rêve.

Une quinzaine de minutes plus tard, les bras chargés de lièvres et de perdrix, Paul et Oscar entrent dans la maison. Le visage de Paul, l'instant d'avant si joyeux, s'allonge en voyant les yeux rougis des deux femmes.

— À voir vos mines basses, je pressens un malheur. Des problèmes ?

Gabrielle, le visage défait, tend les mains vers son fils pour le soutenir dans sa peine. Elle le met au courant de la situation, mais le garçon reste immobile, sans réaction apparente, comme figé sur place. Des images défilent dans sa tête : il imagine les prisonniers dans des conditions difficiles, aux prises avec des gardiens et des officiers hostiles. Jeanne brise le silence pour interroger sa mère :

— Les soldats tortureront-ils Georges comme l'année dernière ? Le battront-ils ?

Gabrielle demande à tous de rester calmes.

— Pour quel motif voudraient-ils le brutaliser ?

Les jumeaux se sentent impuissants : que peuvent-ils faire, sinon attendre le retour de leur frère ? Gabrielle essaie de les rassurer une autre fois :

— Les autorités le relâcheront quand ils s'apercevront de leur erreur. Sinon, je me rendrai à Montréal pour plaider sa cause. Mais Saint-Ours prendra-t-il le temps de m'écouter ?

— Nous manifesterons devant la prison, suggère Jeanne.

— Je me joindrai à vous, reprend Oscar. Je m'ennuie de Georges, de nos fous rires, de nos promenades dans le bois.

— Il aime beaucoup t'entendre jouer de la guitare, poursuit Eugénie en sanglotant.

— Deux détenus dans la famille, c'est deux de trop, réplique Gabrielle. J'irai seule à Montréal pour vous éviter de commettre des folies.

— Je vous accompagnerai, insiste Eugénie. Je voudrais voir Georges, le serrer dans mes bras.

Gabrielle entrouvre la bouche pour répondre : *Mon Georges est encore un enfant*, mais elle s'abstient. Lui aussi a vieilli trop vite depuis le début de la rébellion. *Après tout, s'ils s'aiment vraiment, j'accepterai leur décision*, se dit finalement la mère, tout en espérant que son fils sera libéré dans les plus brefs délais.

Le temps de l'espoir

Pendant ce temps, en prison, des rumeurs circulent sur l'élargissement de plusieurs prisonniers. Les détenus exigent des procès, mais, d'après Wolfred Nelson, la justice hésite à ouvrir cette boîte de Pandore. L'ancien chef des armées patriotes relate les confidences d'un officier à Georges :

— Si je me fie à mes sources, Durham craint des retombées négatives, susceptibles de dévoiler des faits qu'il préfère enfouir à tout jamais. J'ai justement reçu la visite d'un représentant du gouverneur ce matin, et nous avons pris une décision importante.

— Une visite ? Une décision ?

— Ma vie, comme celle de quelques-uns de mes compagnons, basculera bientôt, mon cher Georges.

Nelson lui explique que les autorités ont choisi de punir huit meneurs influents de la révolte de 1837. Ils serviront d'exemple pour décourager les autres rebelles. En revanche, leur sacrifice sauvera plusieurs prisonniers.

— Si nous consentons à signer un document de repentir pour reconnaître notre culpabilité, ils libéreront la plupart des détenus moyennant le versement d'une caution.

— Incroyable ! s'exclame le jeune captif. Mais qu'arrivera-t-il si vous approuvez l'entente ?

— Ils ont l'intention de nous déporter aux Bermudes, une colonie insulaire britannique, dans les Caraïbes.

— Irez-vous vraiment de l'avant ?

— Viger, Marchessault et moi-même avons déjà accepté la proposition. Si les négociations aboutissent, cinq autres patriotes signeront dès demain la lettre d'entente.

Georges exprime sa fierté de connaître des gens prêts à se sacrifier pour permettre à d'autres de jouir de leur liberté. Viger intervient :

— Les prisonniers accusés des meurtres du traître Joseph Chartrand et du lieutenant

George Weir resteront en prison. Seize exilés aux États-Unis, dont Louis-Joseph Papineau, George-Étienne Cartier, Julien Gagnon, Pierre-Paul Demaray et Joseph-François Davignon, ne pourront revenir au Bas-Canada, sous peine de mort.

Malgré la perspective d'une libération prochaine, Georges ressent une grande tristesse. Nelson s'approche de lui, le sourire aux lèvres, et pose ses mains sur les épaules du jeune homme ; Bouchette, candidat volontaire à l'exil, fait de même : les deux détenus lui annoncent une excellente nouvelle.

— Les autorités libéreront bientôt les mineurs.

Georges saute de joie ; il tourne sur lui-même, puis fait une chaleureuse accolade à ses compagnons d'infortune.

— Je vais enfin revoir Eugénie ! Et mes frères ! Et mes sœurs ! Quelle merveilleuse journée !

Le jeune homme redevient subitement sérieux quand il pense au dévouement des huit patriotes ; il s'excuse de son exubérance et promet de ne jamais oublier leur sacrifice. Nelson esquisse un geste vague, puis lui remet une lettre qu'il devra laisser à l'un de ses amis de Montréal. Comme toujours, le docteur conserve sa prestance, sa fierté et sa détermination devant l'inévitable.

— Je peux savoir...

— Le notaire Chouinard te confiera une grosse somme pour faciliter l'évasion de Pierre, murmure Nelson à l'oreille de Georges.

— Il t'expliquera toute la démarche, poursuit Robert-Shore-Milnes Bouchette. D'après les informations d'un membre de ma famille à Québec, Pierre montera sur le gibet en décembre prochain : agis avant le moment fatal.

Georges se sent brusquement dépassé par les événements : comment pourrait-il, seul, libérer un détenu ? Wolfred Nelson répond à ses interrogations sans vraiment le rassurer.

— Là-bas, tu trouveras des patriotes pour te venir en aide. Plusieurs protégeront tes arrières, dont des gardiens, mais tu ne les verras jamais. Ils te guideront à ton insu et tu obtiendras assez d'argent pour te débrouiller.

— Quelle affaire !

— Louis Lussier a réussi à s'évader de sa cellule, Pierre peut aussi y parvenir. Louis donnait l'image d'un prisonnier exemplaire ; il aurait même amadoué le chien de la prison.

— Je te suggère d'amener les jumeaux avec toi, ajoute Bouchette. Wolfred m'a vanté leur débrouillardise et leur bravoure. Ils pourront sûrement t'aider. Deux frères et une sœur qui vont à Québec pour rendre visite à leur père attireront moins l'attention qu'un garçon seul.

— Ils pourraient sans doute enjôler les employés, reprend Nelson. Tu dois te servir de tous les outils disponibles.

— Ce sera très difficile de convaincre ma mère. Avec un mari emprisonné et trois enfants perdus dans la nature, je devrai me montrer persuasif.

Nelson conseille à Georges de trouver un costume de fils de seigneur et de laisser ses habits de paysan dans ses bagages. Le jeune homme en prend bonne note et se met à rêver de liberté. Ce qui le rendrait le plus heureux, c'est de réunir toute la famille à Champlain afin de fêter le Nouvel An tous ensemble.

Le vingt-trois juin, le gouverneur Durham fait libérer quatorze mineurs, dont Georges. Ce dernier se rend aussitôt chez le notaire Roland Chouinard pour lui remettre la lettre de Wolfred Nelson. Chouinard lit la missive d'un air sérieux qui préoccupe le visiteur.

— Reviens me voir le deux juillet au matin ; je te confierai de l'argent liquide et trois billets pour une traversée en bateau jusqu'à Québec.

— Je veux sauver mon père, mais suis-je à la hauteur ?

— Dans la capitale, tu recevras de l'aide de gens déterminés, prêts à venger les affronts des Britanniques ; des amis personnels de messieurs Bouchette et Nelson t'attendent avec impatience. Tu connaîtras le nom et l'adresse de la personne à joindre lors de ta prochaine visite. Ton protecteur t'hébergera et te guidera jusqu'à la fin de ta mission.

Les choses arrivent trop rapidement au goût de Georges : il vit ces moments comme s'il s'agissait d'un rêve. *Je me réveillerai bientôt et la réalité me rattrapera*, pense le jeune homme. Le notaire lui donne un cheval et des espèces sonnantes pour son voyage jusqu'à Champlain et son retour à Montréal.

— Fonce, mon garçon ! lui conseille l'inconnu pour l'encourager. La vie de ton père est en jeu.

Georges répond par un signe de tête et un sourire triste. Il a l'impression qu'on vient non seulement de lui déposer un tronc d'arbre sur les épaules, mais de le condamner à marcher des heures le dos courbé. Ses pensées s'envolent vers sa famille : il anticipe la réaction de sa mère lorsqu'elle connaîtra la nature de sa mission. Comment la convaincre de laisser partir les jumeaux et de naviguer plus de trois jours sur le Saint-Laurent avant de débarquer à Québec ? Des sueurs lui coulent entre les omoplates quand il songe aux objections d'Eugénie. Quelle aventure !

Un voyage périlleux

Georges retourne à Champlain le plus vite possible pour, pense-t-il, affronter la colère de sa mère. Le jeune homme réfléchit à toutes sortes de stratégies et aux meilleures façons de la persuader d'entreprendre la mission que Nelson lui a confiée. Jeanne et Paul accueillent Georges en héros et posent des questions à répétition. Gabrielle saute au cou de son fils, l'embrasse et s'informe de sa santé.

— Tu as maigri, mon pauvre enfant. Tu as dû vivre un véritable enfer.

— Crois-moi, messieurs Nelson et Bouchette m'ont bien entouré.

— J'avais tellement hâte que tu reviennes à la maison, les jumeaux s'ennuient beaucoup de toi.

Le premier jour, Georges prétexte la fatigue pour s'éclipser et se promener dans les bois. Il ignore encore comment approcher sa mère pour la mettre au courant de sa mission. Il refuse de gâcher sa joie en ayant avec elle une discussion susceptible de tourner au vinaigre. Au petit-déjeuner du lendemain, il profite de l'absence des adolescents pour parler à sa mère du sort qui attend son mari. Gabrielle, en colère, se questionne sur les recours possibles : elle a même l'intention de se rendre au bureau de Colborne pour implorer son pardon.

— D'après monsieur Bouchette, le temps des pourparlers est révolu pour papa. La seule solution à envisager pour le libérer consiste à agir vite.

— Au lieu de répondre par des pirouettes, tu devrais m'expliquer ton idée.

À mesure que Georges avance dans ses explications, le visage de sa mère s'allonge d'autant. Gabrielle garde cependant son calme quand son fils lui précise que la réussite de son plan requiert l'intervention des jumeaux. Gabrielle semble disposée à les laisser partir à Québec ; elle marche de long en large dans la cuisine et s'attaque à la vaisselle du matin. Elle rompt enfin le silence après avoir échappé une assiette sur le plancher. Ses réticences concernent la sécurité des adolescents.

— Qui les protégera si les soldats t'arrêtent ?

— Mon contact, là-bas, les ramènera ici.

— Ton père refuserait de les impliquer dans une telle aventure.

— Papa ne peut plus décider de rien. Selon Nelson, sa vie dépend de notre capacité à agir dans les plus brefs délais. Aussi devons-nous intervenir avec discrétion.

— Si je comprends bien, tu as besoin des jumeaux pour amadouer les gardiens. J'ai l'impression de les jeter dans la gueule du loup. J'aimerais consulter le notaire Demaray et le docteur Davignon pour leur demander conseil. Je donnerai mon accord final après leur avoir parlé.

Pour les six ans d'Agnès, Gabrielle prépare un gâteau d'anniversaire et invite les patriotes de Saint-Athanase à le partager. La conversation bifurque vite vers l'emprisonnement de son mari ; les deux rebelles appuient l'opinion de Georges : il faut sortir Pierre de prison, immédiatement.

— Nous veillerons sur vous jusqu'au retour de votre mari et des enfants.

— De plus, reprend Davignon, nous organiserons une collecte avec nos bailleurs de fonds américains pour promouvoir la cause de votre mari. Julien a déjà recueilli des centaines de dollars pour faciliter sa libération.

— Nous devons rester discrets et garder le projet secret.

— Je dirai que je veux aider une famille dans le besoin, précise le médecin. Vos petits derniers ne manqueront de rien. Et vous aussi, chère Gabrielle.

Convaincants, les deux hommes parviennent à tranquilliser ses craintes. Avant leur départ, Gabrielle les remercie chaleureusement et consent enfin à laisser les jumeaux quitter le foyer. Fidèles à eux-mêmes, les jumeaux acceptent avec enthousiasme d'aider leur grand frère. Les deux visiteurs conduisent les adolescents jusqu'au village pour leur acheter des costumes à la mode, puis les ramènent à la maison. Les trois voyageurs filent le lendemain vers Montréal, où ils embarqueront sur le bateau en direction de Québec.

Le moment venu, les adieux s'avèrent difficiles pour la mère ; les remords la tourmentent. Les larmes inondent ses joues lorsqu'elle voit ses trois enfants enfourcher les chevaux.

— Prudence, les enfants ! Ne prenez aucun risque inutile.

— Nous reviendrons, affirme Georges.

— Et papa nous accompagnera, ajoute Jeanne.

Une fois la frontière traversée, les voyageurs s'arrêtent chez la belle Eugénie : Georges désire lui expliquer la raison de son absence sans pour autant tout lui révéler. La jeune fille sanglote quand son bien-aimé lui annonce sa décision de rendre visite à son père. Elle accepte néanmoins de le laisser partir.

— Je promets de t'aimer toute ma vie.

— Je t'attendrai le temps qu'il faudra.

Sur ces propos pleins de tendresse, les trois cavaliers prennent congé des Pinsonneault. Même si Oscar insiste pour les escorter, Georges refuse.

— Je m'en voudrais tellement s'il t'arrivait malheur ! Ta famille a trop besoin de toi.

— Qui te sauvera si un problème survient en cours de route ?

— J'ai confiance...

Les deux amis se quittent en se donnant une franche accolade. Un dernier baiser pour Eugénie, puis Georges entraîne les jumeaux vers l'inconnu. Ils galopent jusqu'à

Napierville pour saluer le forgeron Demers et lui confier les chevaux. Le parrain et la marraine du jeune homme accueillent les enfants Gagnon à bras ouverts et s'empressent de demander des nouvelles de Gabrielle. Berthe sort les petits gâteaux et les galettes encore chaudes afin de rassasier les visiteurs. Jeanne et ses frères jettent un œil triste sur les décombres de la maison familiale et se souviennent de l'attaque des volontaires ; ce souvenir les motive et leur redonne le courage nécessaire pour accomplir ce périlleux voyage. Sans révéler la véritable raison de son périple à Québec, Georges parle d'une visite à leur père emprisonné. David les met aussitôt en garde contre les mauvaises rencontres.

— Méfiez-vous des traîtres, des délateurs et des inconnus ; restez sur vos gardes et parlez le moins possible.

— Nous avons beaucoup à apprendre, commente Jeanne.

— Le silence, ainsi qu'un joli sourire, deviennent souvent les meilleurs atouts quand on nous insulte. Ces gens cherchent parfois à vous délier la langue par tous les moyens, y compris le mépris.

Avant le départ des jeunes Gagnon pour La Prairie, le parrain de Georges lui demande de retirer la bague qu'il lui a offerte l'année précédente. L'homme sourit quand il dévisse la tête d'Indien en bois sculpté et leur désigne une minuscule aiguille foncée à la base. Une odeur agréable se dégage de l'objet : la sœur et les frères jettent un œil intrigué sur le mystérieux bijou. Tous l'examinent sans deviner son utilité. David s'explique :

— Une invention personnelle pour endormir une proie ou un ennemi. J'ai vu une pièce semblable lors d'un voyage avec mon père en Amérique latine. Son métier de capitaine de bateau l'amenait partout et, souvent, je l'accompagnais dans ses expéditions.

David met le bijou à l'index de sa main droite, puis attrape une poule. Il lui enfonce la tige métallique sous une aile ; l'animal tombe sur le côté presque aussitôt.

— Elle dormira profondément pour se réveiller dans une heure environ. Les humains ont parfois la migraine après un tel traitement, mais ne gardent aucune séquelle permanente.

Les jeunes restent bouche bée devant l'arme secrète. Jeanne trouve l'objet merveilleux et prévoit déjà de s'en servir.

— Nos ennemis goûteront à cette formidable médecine.

Le forgeron leur recommande de l'utiliser en dernier recours et avec discrétion. Avant leur départ, David remet une corde à Georges pour l'aider à se fabriquer un arc le moment venu. Il offre une bague à chacun, puis mène le trio au centre du village. Après les embrassades, les adolescents sautent dans la diligence en direction de La Prairie pour embarquer sur le *Princess Victoria* et traverser le fleuve Saint-Laurent.

Les voyageurs réservent leur première visite au notaire Chouinard, afin de toucher l'argent nécessaire au voyage et les trois billets pour Québec. Georges jubile :

— Je vous remercie de tout cœur.

— Bonne chance, les enfants.

Pour Jeanne, Paul et Georges, une périlleuse aventure commence. L'inconnu les attend. Le deux juillet, avant de s'aventurer sur le bateau à vapeur *Canada*, ils décident d'aller à la prison pour saluer Wolfred Nelson, Viger et Bouchette. La foule a envahi les rues avoisinantes et court dans tous les sens.

— Que se passe-t-il ? demande Jeanne.

— Les militaires ont bloqué les accès, répond Georges.

Celui-ci s'informe auprès d'un passant à la barbe blanche :

— Les soldats conduisent des prisonniers au quai pour les exiler aux Bermudes.

Les jeunes gens se dirigent en vitesse vers le port où ils parviennent à se faufiler malgré la présence militaire. Ils aperçoivent les détenus enchaînés par les mains, deux par deux. Les yeux rivés sur les prisonniers, les trois voyageurs les considèrent avec le plus grand respect.

— Regarde ! Wolfred Nelson et Robert-Shore-Milnes Bouchette sont enchaînés ensemble ! murmure Paul.

Georges constate avec tristesse la présence de plusieurs connaissances. Il voit le major Toussaint-Hubert Goddu, les docteurs Henri-Alphonse Gauvin et Luc-Hyacinthe Masson, Rodolphe Desrivières, Bonaventure Viger et Siméon Marchessault.

— Les patriotes marchent la tête haute malgré les chaînes et lèvent les bras en l'air en signe de triomphe. Quel courage ! répond Georges.

Les huit exilés montent sur la passerelle sous les yeux de leurs femmes, enfants et amis en pleurs. Georges crie le nom de Wolfred pour attirer son attention, mais les murmures de la foule enterrent sa voix. Une fois les déportés disparus, les curieux se dispersent. Le capitaine permet ensuite aux voyageurs réguliers d'embarquer à leur tour sur le bateau en direction de Québec. Georges et les jumeaux se demandent ce qui les attend dans la capitale, une ville remplie de dignitaires et de militaires aux aguets, prêts à arrêter les patriotes à la moindre alerte.

10

L'arrivée à Québec

La traversée se déroule sans heurt ; le bateau glisse lentement sur le fleuve Saint-Laurent. Les passagers regardent les villages défiler les uns après les autres et, parfois, un pêcheur solitaire les salue. Trois jours plus tard, le bateau à vapeur accoste au quai où mouille le navire de guerre *Vestale*. Une femme s'informe auprès de son mari sur la raison de la présence de ce bateau à Québec.

— Les exilés embarqueront bientôt sur ce bâtiment à destination des Bermudes.

Quand il entend les propos de l'inconnu, Georges demande aux adolescents de s'attarder un moment sur le pont pour attendre les huit patriotes. Il espère remercier Nelson et ses amis une dernière fois avant leur départ. Les détenus, pieds et poings liés, entourés de soldats armés, passent devant les trois Gagnon. Un pâle sourire éclaire le visage de Wolfred Nelson : il sait maintenant que les trois adolescents iront jusqu'au bout de leur projet. « Foncez ! » semble dire le héros de Saint-Denis. Son regard bienveillant encourage les trois jeunes gens. Même si leur mission comporte des risques importants, ils se battront pour sauver leur père. Le visage triste, les prisonniers disparaissent de leur vue.

Georges sort un papier de sa poche pour lire l'adresse et le nom de son contact à Québec.

— Roger Lepage, rue Saint-Jean. En avant, les jumeaux !

Quelques rues plus loin, ils aperçoivent des soldats en plein travail ; les militaires escortent un groupe d'hommes mis aux arrêts ; les prisonniers sont attachés les uns aux autres par les poignets. Les passants s'arrêtent sur leur passage ; certains saluent les détenus et lancent un regard féroce rempli de haine vers les Britanniques. Un étranger s'approche des trois voyageurs :

— Les Grenadier Guards patrouillent dans la ville de Québec. Aujourd'hui, ils conduisent des sympathisants patriotes à la prison.

— Je croyais que la capitale était à l'abri des rebelles, répond Georges avec une certaine innocence dans la voix.

— Les patriotes sont nombreux, mais les militaires pullulent dans la basse et la haute-ville. Les partisans doivent se montrer très discrets.

La troupe disparue, les jeunes Gagnon continuent leur chemin ; la rue Saint-Jean grouille de monde. Une dame âgée, au front ridé, leur indique la résidence de Roger Lepage. Un homme aux cheveux blancs, dans la cinquantaine, leur ouvre immédiatement la porte. À la vue des trois adolescents, il devine tout de suite l'identité des visiteurs. Son visage inquiet intrigue un moment les voyageurs.

— Le notaire Chouinard nous envoie, lance Georges d'un trait.

— Bienvenue à la maison. Entrez vite ! Vous devez attirer l'attention le moins possible.

L'homme se présente, les conduit à leur chambre, puis leur recommande de se servir de la porte arrière la prochaine fois. Sa femme leur offre un morceau de tarte, les dévisage tout en s'interrogeant sur les chances de ces jeunes gens d'atteindre leur objectif. Jeanne, assise en face de leur hôte, doit se retenir de fixer son énorme nez rouge, d'une longueur démesurée. Paul lui écrase le gros orteil avec son pied.

— Dormez sur vos deux oreilles à propos de l'argent ; les compagnons de votre père se sont cotisés pour le sortir du pétrin.

— Croyez-vous que cette mission soit possible ? demande Jeanne avec sérieux.

— Seul le temps vous permettra de répondre à cette question, chers amis. Mais j'ai confiance.

— Par où commence-t-on ? s'informe Paul, dont l'impatience de revoir son père grandit de jour en jour.

— Reposez-vous d'abord, propose le propriétaire. Nous verrons après. Je travaille uniquement quand mes associés ont les idées claires.

Le lendemain matin, les trois jeunes gens arpentent discrètement le voisinage pour mieux connaître la capitale. Ils marchent pendant des heures pour se familiariser avec les alentours, les commerces, les monuments et les édifices publics ; ils franchissent la porte Saint-Jean, découvrent la Citadelle, le pénitencier de la rue Saint-Stanislas, où se trouve leur père, et explorent la vieille ville. Deux jours plus tard, Roger leur suggère de lui rendre une première visite. Les pieds toujours endoloris par leur longue promenade, les trois adolescents revêtent leur plus beau costume et se précipitent à la prison. Plutôt réticents à laisser des enfants entrer à l'intérieur des murs, les gardiens finissent par céder aux supplications des jumeaux.

— Fouillez ces casse-pieds ! ordonne le gardien-chef Snow. Je vous tiens responsable de tout désordre qui pourrait survenir par leur faute. Après, je veux leur parler.

L'homme semble prendre un malin plaisir à les interroger et veut tout savoir sur eux. Georges répond de son mieux tout en jouant l'innocent fils, dont le père, faussement accusé, se désespère derrière les barreaux.

— Combien de temps resterez-vous à Québec ?

— J'ai de l'argent pour au moins deux mois. Mon frère et ma sœur voulaient tellement voir papa que j'ai organisé ce voyage.

— Je dois me méfier : Pierre Gagnon sympathise avec les patriotes.

— Comment un cultivateur peut-il se transformer en criminel du jour au lendemain ? Des rumeurs circulent à Napierville depuis son transfert ici. Moi, les dessous de la politique...

— Tu ignorais la nature de ses activités ?

— Il voyageait souvent avant son arrestation, mais ma mère croit plus ou moins à cette histoire. Je désire seulement le rassurer sur sa famille ; il m'apparaît important, pour les jumeaux, de reprendre contact avec lui avant...

Compte tenu de leur jeune âge, le gardien-chef juge la présence des visiteurs inoffensive et sans danger pour la sécurité des lieux. Il leur accorde un droit de visite.

— Je demande la permission de venir tous les deux ou trois jours pour permettre ainsi aux jumeaux de mieux connaître leur père.

— Je prends cette requête en délibéré ; tu recevras ma réponse plus tard.

— Je voudrais le voir aujourd'hui, insiste Jeanne.

Des larmes roulent sur ses joues rosées. Snow détourne les yeux et ordonne à son subalterne de conduire les trois adolescents jusqu'au prisonnier Gagnon.

Le geôlier ouvre la lourde porte. Amaigri par le régime sévère imposé aux détenus par les autorités, Pierre a cependant conservé son sourire enjôleur. Les jumeaux courent à sa rencontre, lui sautent dans les bras et l'embrassent plusieurs fois. Georges se précipite à son tour et enlace son père avec tendresse. Incapables de retenir leurs émotions, tous pleurent de joie ; le cœur de Pierre bat à tout rompre, submergé par le bonheur intense de retrouver ses enfants sains et saufs. Les quatre restent ainsi de longues minutes à savourer le plaisir de ces retrouvailles.

Même l'officier de garde, pourtant habitué aux scènes déchirantes de la prison, et à celles, horribles, de la guerre, s'émeut devant tant d'amour. Sa femme et ses trois enfants patientent depuis deux ans en Angleterre. Ils doivent le rejoindre à Halifax au printemps et le voilà à Québec à cause de cette satanée rébellion. Pour le moment, l'homme doit se contenter de rêver.

Après quelques minutes de silence, Georges et les jumeaux racontent leur quotidien à leur père.

— Maman pensait retourner à Napierville, mais elle attendra ton retour.

— Ce n'est pas demain la veille, répond Pierre avec un certain désespoir dans la voix.

— La vie nous réserve parfois de belles surprises, reprend Paul en jetant vers son père un regard énigmatique.

— Au cours des prochaines semaines, affirme Jeanne, nous devrons travailler ensemble.

Pierre connaît ce sourire espiègle, presque mystérieux ; les yeux brillants de sa fille lui promettent des jours meilleurs. Georges pousse un long soupir en regardant le militaire près de la porte.

— Tu peux parler. Il arrive d'Halifax et comprend seulement la langue anglaise.

L'aîné lui dépeint alors son séjour en prison et lui raconte les malheurs de Nelson et de ses compagnons d'exil.

— J'ignore les raisons de mon transfert à Québec. Le « vieux brûlot » de Colborne voulait sans doute m'éloigner de l'action.

— Il désirait te punir et te priver de ta famille.

— Aux États-Unis, les patriotes exilés ont fondé l'Association des Frères Chasseurs avec l'intention d'envahir le Bas-Canada. Le but de ce mouvement très discret consiste à rallier des combattants des deux côtés de la frontière. Depuis le début de l'été, des recruteurs parcourent le territoire pour convaincre les hommes de se joindre au groupe secret.

Georges décrit aussi à son père les efforts de son cousin Julien pour la cause ;

même s'il est interdit de séjour au Bas-Canada, il embauche des recrues dans les comtés de La Prairie, de l'Acadie, de Chambly et de Beauharnois.

— Chaque région crée sa propre loge afin de poursuivre le combat contre l'ennemi, commente Pierre.

— Les événements de l'automne, à n'en pas douter, me semblent cruciaux sur le plan politique.

— Voilà pourquoi nous sommes venus à Québec, lui apprend Paul.

— Tu dois absolument sortir d'ici pour participer à la grande finale, ajoute Jeanne.

— Je voudrais tellement partager votre enthousiasme, mais les délateurs et les chouayens abondent. Je vous recommande la plus grande prudence. J'ai eu le temps de réfléchir depuis mon incarcération. Je crois à l'indépendance du Bas-Canada ; mais parviendrons-nous à défaire les armées ennemies ? La puissance de feu de Colborne enverra des milliers de combattants à la mort et nous soumettra jusqu'au dernier.

— Le désir de liberté décuplera nos forces, et nous vaincrons ! lance Georges avec conviction.

— Je le souhaite, mes enfants.

— J'aimerais t'offrir un petit cadeau, murmure Jeanne à l'oreille de son père, qu'elle embrasse sur la joue.

— L'officier de garde doit d'abord donner son accord.

Georges prend la bague dans sa main et la remet au soldat ; l'homme l'examine et accepte d'un signe de la tête, avant de la rendre à son propriétaire.

— Garde-la précieusement, papa ; un jour, cet objet te sauvera la vie.

Cette fois encore, Pierre remarque le regard indéfinissable de sa fille ; le père met la bague à son doigt sans poser de questions. Il se demande cependant où ses enfants veulent en venir avec leur air mystérieux.

11

L'espoir d'une évasion

Pendant les mois de juillet et d'août 1838, les jeunes Gagnon rendent régulièrement visite à leur père. Au début, ils y vont deux fois par semaine, puis ils finissent par le voir tous les jours. Les jumeaux gagnent vite la confiance des officiers avec leur sourire et leur mine sympathique. Au fil des rencontres, le trio s'interroge sur l'identité des mystérieux gardiens payés pour les aider. Existent-ils vraiment ? De son côté, Roger Lepage planifie la campagne de charme avec minutie : sa femme Adèle prépare des petits gâteaux, des tartes et d'autres gâteries que les adolescents offrent au prisonnier dès leur arrivée à la prison. Ses enfants partis, Pierre partage toutes ces pâtisseries avec ses geôliers. Quant au chien du pénitencier, il guette l'entrée des Gagnon pour recevoir sa boulette de viande quotidienne.

Souvent, Georges apporte une bouteille de whisky et l'oublie au poste d'accueil. Les hommes s'empressent de la boire en groupe pendant le travail. Pierre en garde aussi quelques unes en réserve pour obtenir les bonnes grâces des employés. Un ami proche de Roger, le charpentier Albert Côté, exploite un alambic à Cap-Rouge et le fournit en alcool. Parfois, les jumeaux se présentent seuls à la porte ; assurés de recevoir leur cadeau quotidien, les gardiens, les Anglais autant que les chouayens, attendent la venue des adolescents, les accueillent avec une main tendue, un sourire ou une tape dans le dos. Par ailleurs, la surveillance s'est beaucoup relâchée ; occupés à déguster les pâtisseries d'Adèle, les officiers assistent rarement aux rencontres des enfants avec leur père. Le geôlier ouvre la barrière et se hâte de rejoindre ses compagnons pour participer à la fête. Sous la recommandation de Roger Lepage, Georges se rend de moins en moins souvent à la prison pour écarter de lui tout soupçon. Selon Roger, les autorités pourraient l'emprisonner ou le bannir du pays pour avoir favorisé l'évasion d'un prisonnier.

Georges craint constamment que l'un des jumeaux commette une bévue ou fasse un faux pas, mais les adolescents agissent avec prudence et discernement. Après avoir établi un lien de confiance suffisant avec les geôliers, Roger Lepage et les enfants Gagnon décident de mettre leur plan à exécution.

— Le moment crucial approche, déclare Roger. Nous avons assez amadoué les gardiens. Des alliés invisibles s'activent dans l'ombre, à l'intérieur des murs, souvenez-vous-en, les amis.

Georges approuve la décision, et les jumeaux sautent de joie. Après deux mois d'absence, ils s'ennuient de leur mère, de la jolie Agnès et de leurs petits frères, et se demandent comment la famille s'en sort depuis le début de l'été avec l'aide du notaire Demaray et du docteur Davignon.

— Les enfants, à partir d'aujourd'hui, et ne posez aucune question aux employés de la prison, votre père vous accueillera dans sa cellule.

— D'ici la fin de septembre, nous ferons route vers Champlain en compagnie de notre père, affirme Georges.

— Vous devrez traverser la Nouvelle-Beauce, affronter ses forêts, ses marécages, ses rivières et, surtout, les moustiques, ajoute sa femme.

— Aussi, l'automne prochain, plusieurs événements marqueront la vie politique, poursuit Roger. D'après les journaux, Londres a désavoué Lord Durham à cause de sa décision arbitraire d'exiler les huit chefs patriotes ; furieux, il aurait demandé son rappel en Angleterre. Les Britanniques devront même ramener les déportés au Canada.

En entendant les propos rassurants de son protecteur, Georges bondit de joie ; il enlace Jeanne et la soulève de terre.

— La démission du gouverneur sème l'inquiétude dans la population, reprend Adèle. Tous craignent la reprise des hostilités et la mainmise de Colborne sur le Bas-Canada. Le journal *La Minerve* invite les gens à manifester le vingt-cinq septembre pour exprimer leur désapprobation. La manifestation s'annonce importante.

Roger et Georges sautent sur l'occasion pour planifier l'évasion du prisonnier. Le vingt-quatre septembre, Jeanne et Paul profitent de leur visite quotidienne pour aviser leur père de leurs intentions. Les jumeaux prennent la précaution d'apporter quatre bouteilles d'alcool pour les offrir en cadeau aux geôliers. Jeanne remet le sac au garde.

— Nous rejoindrons bientôt notre mère. Nous voulons vous remercier de votre gentillesse à notre égard.

— Vous recevrez un présent semblable demain matin, lui murmure l'adolescent à l'oreille.

Les yeux rieurs de l'homme en disent long sur son plaisir de revoir les enfants ; il est encore plus satisfait lorsqu'il regarde dans le fourre-tout. Il les conduit à Pierre et file boire l'eau-de-vie avec ses compagnons. Le détenu accueille ses enfants avec le sourire et leur tend les bras. Jeanne attend le départ de l'officier pour parler du plan d'évasion à son père.

— Tu sortiras d'ici dans vingt-quatre heures, pendant la manifestation. Je dois maintenant te révéler le secret de la bague.

Jeanne s'approche, tourne la petite tête d'Indien et montre l'aiguille à son père. Il reste silencieux, mais son regard bleu, perçant, laisse voir un complet étonnement. Paul le sort de sa léthargie passagère.

— Quand tu piqueras le gardien, il s'endormira dans la seconde : la tige contient un puissant somnifère. Un cadeau de ton voisin, le forgeron Demers. Nous passerons bientôt à l'action ; d'ici là, pense à la façon d'engourdir quelques soldats et au meilleur chemin à emprunter pour t'enfuir. Georges et un ami nous attendront à l'extérieur avec une charrette. Souhaitons-nous bonne chance, papa !

Laissé seul à ses réflexions, un grand doute s'insinue dans l'esprit de Pierre. Réussira-t-il à s'évader de prison ?

Le lendemain, dans la matinée, sous prétexte de participer à la manifestation populaire en faveur de Lord Durham, les jumeaux déambulent dans les rues aux côtés des contestataires.

Les organisateurs ont placé, sur une voiture, l'effigie du dénonciateur du gouverneur, Lord Brougham. Georges se joint aux protestataires lors du départ du cortège. Sur le devant du véhicule, Sa Majesté Colborne trône fièrement.

— Si seulement ils pouvaient vraiment le pendre, murmure le jeune homme entre ses dents.

La procession sillonne les principales artères de la haute-ville, passe devant la résidence de Durham, se rend à la place d'Armes, puis s'arrête près du château Saint-Louis. Des contestataires enflamment les vêtements des lords au milieu d'une foule survoltée.

— Hourra pour la reine Victoria !

— Hourra pour Lord Durham !

Georges s'abstient de crier des slogans probritanniques ; il ressent plutôt l'envie de hurler « vive la liberté ! » Le rassemblement terminé, les gens flânent dans la ville ; les jumeaux se mêlent à eux près de la prison, puis se dirigent en courant vers l'entrée, l'air affolé. Ils frappent à la porte en pleurant à chaudes larmes. Curieux de connaître le dénouement de l'événement politique, mais surtout pour protéger le bâtiment, la moitié des employés du pénitencier surveillent l'extérieur de la prison. Un officier reconnaît les enfants et leur facilite l'accès ; un gardien leur remet ensuite un colis, contenant huit bouteilles d'alcool, déposé au poste de garde par un messager.

— Que vous arrive-t-il, les enfants ?

— Des manifestants ont voulu nous battre et nous ignorions où nous réfugier, raconte Jeanne, d'une voix haletante, les yeux larmoyants. J'aimerais voir papa.

— Nous avons vraiment besoin de lui parler aujourd'hui pour nous remonter le moral, précise Paul.

— Suivez-moi !

Pour le remercier, le garçon lui offre une bouteille dans laquelle Roger Lepage a versé un somnifère. Il lui en confie une deuxième pour son compagnon de travail. Quand un second gardien le remplace, un autre présent surgit du sac à surprise. De l'entrée à la salle d'attente, les jumeaux distribuent les bouteilles, avec une immense générosité, pour services rendus et, surtout, en guise de cadeau d'adieu. Jeanne observe les employés : qui d'entre eux les aide ?

— Que se passe-t-il avec votre frère ? demande le geôlier. Il ne rend plus visite au prisonnier.

— Ma mère souffre de pneumonie et il a décidé de repartir. Il reviendra dans quelques semaines pour rassurer papa.

Cinq minutes plus tard, les enfants se retrouvent dans les bras de leur père. Même si Pierre essaie de rester calme, la nervosité prend vite le dessus. Inconscients des conséquences advenant l'échec de la tentative d'évasion, les jeunes semblent parfaitement à l'aise.

— Le grand jour est enfin arrivé, dit Jeanne en embrassant son père sur les joues.

À ces mots, la jumelle s'évanouit et tombe sur le sol. Paul frappe dans la porte et supplie le geôlier d'ouvrir et d'examiner sa sœur. Le gardien a déjà ingurgité plusieurs lampées d'alcool. Pierre dévisse la tête d'Indien et pique l'homme au cou lorsqu'il se penche sur Jeanne ; il s'endort tout de suite, foudroyé par le somnifère. Un soldat surgit de l'ombre et subit le même sort.

— Enfile ses vêtements, ordonne Paul. Et prends le trousseau. Vite !

Pierre s'exécute, puis dissimule les ennemis dans un coin, sous une table.

— Et maintenant, tu nous conduis à l'extérieur de cette prison, comme un gentil militaire. La charrette nous attend sur les plaines d'Abraham.

Arme à l'épaule, Pierre marche derrière ses enfants et les escorte en vrai professionnel. Le trio emprunte deux immenses corridors où ils rencontrent des employés sous l'influence de l'alcool. Les jumeaux les saluent avec politesse, puis continuent leur périlleuse randonnée. Les fuyards réussissent à pousser une lourde barrière et se retrouvent devant une muraille de pierre d'une hauteur impressionnante. Le whisky et les somnifères semblent agir comme prévu : quatre hommes gisent sur le sol près de l'entrée. Une sentinelle surveille l'autre côté du mur. Pierre ouvre la porte avec

précaution, puis appelle le soldat ; le militaire aussitôt à sa portée, Paul l'atteint à la
cuisse avec son aiguille. L'officier s'effondre
et le père de famille lui enlève son arme.
Une fois l'obstacle franchi, les évadés traversent une cour intérieure déserte avant de
sauter un muret et de se glisser dans un
fossé rempli de quenouilles.

— Marchons jusqu'à la prochaine rue,
murmure le garçon. Une charrette nous
prendra à son bord.

Jeanne perd pied, mais, par chance, son
père l'attrape avant qu'elle chute dans l'eau
stagnante. L'écueil contourné, les fugitifs
parcourent un boisé bien entretenu avant
d'arriver, espèrent-ils, sur les plaines
d'Abraham. Ils courent à perdre haleine
pour quitter les lieux au plus vite.
L'adolescent localise un bosquet d'arbustes
et tous les trois s'y faufilent pour guetter
l'arrivée de la voiture de leurs complices.
Après quelques minutes à trépigner d'impatience, un véhicule tiré par deux chevaux
s'approche lentement pour s'arrêter à leur
hauteur. Georges et Roger en descendent,
puis soulèvent une toile avant de retirer
trois planches. Paul les prévient de leur présence en imitant le hurlement d'un loup.

— Venez vite ! lance Georges d'une voix éteinte.

D'un pas rapide, l'évadé et ses jumeaux se glissent sous la bâche et se retrouvent enfermés dans le double fond de la charrette. Lepage étale des sacs de patates et de farine par-dessus la trappe, puis l'équipage se dirige à bonne vitesse vers le fleuve Saint-Laurent. Le soleil décline doucement à l'horizon.

— Une chaloupe nous attend, dit Georges pour réconforter son père.

La voiture arrive enfin à destination : Roger s'empresse d'enlever la marchandise pour dégager les passagers clandestins et leur permettre de sortir de leur cachette. Le jeune homme leur offre un morceau de pain et du fromage afin de calmer leur faim. Pierre enlace son fils pour lui exprimer sa gratitude et serre la main de Roger Lepage ; il le remercie d'avoir protégé ses enfants.

— J'ai douté jusqu'à la fin de la réussite de votre plan, avoue Pierre. J'éprouvais une telle anxiété à imaginer les jumeaux en danger entre les quatre murs de la prison !

— Nous avons bien appris notre leçon, soutient Paul, dont le sourire en dit long sur la satisfaction de savoir son père enfin libre.

— Je suis fier de ma fille et de mes fils.

— Quand je les ai vus la première fois, ajoute Roger, j'ai entretenu un certain doute, mais j'ai très vite compris : vos enfants démontrent une détermination à toute épreuve ; j'anticipais notre victoire.

— Comment pouvons-nous vous remercier, monsieur Lepage ?

— La liberté n'a pas de prix, répond Roger en passant les doigts dans les cheveux blonds de Paul.

Lepage pose un bras amical sur l'épaule de Georges, touche la joue de Jeanne, puis place sa main sur la tête de Paul ; les Gagnon se confondent en remerciements.

— Je dois vous quitter : à vous de jouer maintenant. Mon travail se termine ici. L'homme de la barque se nomme Jean-Marie.

— Je vous dois la liberté, déclare Pierre. Acceptez ma profonde reconnaissance.

— Remerciez vos amis et vos enfants ; j'ai simplement servi d'exécutant. Vous devriez vous débarrasser de votre uniforme de soldat britannique : certains détestent rencontrer des militaires.

Roger remet des vêtements à Pierre, saute dans la charrette, puis s'éloigne en saluant les Gagnon d'un signe de la main. Pierre enlève son habit rouge derrière un buisson, puis creuse un trou dans le sol pour l'enterrer. Il garde cependant le fusil pour se défendre, chasser et survivre pendant le voyage. Le vent est tombé, mais la fraîcheur du soir fait frissonner les fuyards.

La traversée de
la Beauce

Au crépuscule, vers dix-neuf heures, une barque avec deux hommes à bord s'approche du rivage, dans le plus grand silence. L'un des rameurs soulève et descend une lampe pour signaler leur présence. Paul émet son hurlement du loup, le message convenu entre eux et Lepage.

— Montez ! ordonne une voix anonyme dans la pénombre.

Pierre hésite un moment avant de sauter dans l'embarcation. Doit-il accorder sa confiance à un inconnu ?

— Je m'appelle Jean-Marie, et voici mon frère, Lucien. Cela dit, je préfère tout ignorer sur votre compte. Si jamais les soldats nous interrogent, vous resterez des étrangers. Ni vu ni connu.

Les Gagnon se précipitent et embarquent aussitôt. Aucun ne distingue la physionomie des deux rameurs dans l'obscurité du soir ; il est donc impossible pour eux de les identifier. L'espoir d'une vie meilleure renaît dans le cœur de Pierre. Il rêve de prendre Gabrielle dans ses bras et de lui dire combien il l'aime. De son côté, Georges demeure songeur quand ils quittent la rive nord du fleuve pour se diriger vers Lévis. Qu'est-ce qui les attend de l'autre côté ? La belle Eugénie lui revient également en tête ; la reverra-t-il ? Se fatiguera-t-elle de ses absences et de ses problèmes de famille ? Elle le laissera peut-être tomber pour un amoureux plus stable, moins politisé et, surtout, plus présent...

Plus loin, au large, le vent se lève. Après plusieurs minutes de navigation à entendre le bruit des rames dans l'eau, la houle et les mouvements de la barque donnent des nausées aux jumeaux. Les frères Martel s'amusent de l'inexpérience de leurs passagers.

— Suivez le déplacement des vagues, recommande Lucien. Patience, les enfants ! Nous arrivons bientôt.

Paul se penche hors de la chaloupe et vomit le peu de nourriture ingurgitée depuis vingt-quatre heures. Jeanne lui masse le dos dans l'espoir d'atténuer son mal de mer.

— Des chevaux vous attendent de l'autre côté. Un ami patriote vous prendra sous son aile et vous passerez la nuit dans sa grange.

Même si aucun des fugitifs n'a réussi à voir les visages des deux marins, Pierre les remercie avec chaleur. La barque aussitôt arrivée sur la berge, un homme se présente et dit se nommer Adrien Ménard. L'étranger leur fournit des montures et tous se dirigent sans délai vers Saint-Henri-de-Lauzon. Rose-Marie, la femme du fermier, reçoit les étrangers à bras ouverts et leur offre des couvertures de laine.

— Vous pourrez les emporter ; vous en aurez besoin pour le voyage en automne : la forêt, en septembre, nous transit.

— Nous partirons à l'aube, tout de suite après un bon repas en famille. Il est primordial de prendre de l'avance sur les soldats. À mon avis, ils chercheront assurément de ce côté du fleuve. Nous tâcherons aussi d'éviter les postes de sentinelles. Une grande chevauchée nous attend. Dormez bien, les amis.

À la demande de Georges, le cultivateur lui procure un morceau d'érable dur, mais assez flexible pour se fabriquer un arc.

Pendant deux longues heures, avec patience, à la lueur d'une lampe à l'huile, le jeune homme sculpte le bois et y fixe la corde. Il découvre plusieurs branches dans la grange et se taille quelques belles flèches. Il en trouvera sûrement d'autres dans la forêt. Fourbus après les émotions de la journée, étendus sur la paille, les Gagnon s'endorment d'un sommeil bienfaisant. Au petit matin, quand les enfants Ménard se présentent pour traire les vaches, avant d'aller à l'école, leurs éclats de voix réveillent les dormeurs. Afin de passer inaperçus, Georges et les jumeaux remplacent leur habit de ville par des costumes de paysans. Quant à Jeanne, elle se résout à revêtir des vêtements masculins.

Malgré une faim tenace, Jeanne et Paul aident leurs hôtes pendant une trentaine de minutes, jusqu'à l'appel d'Adrien. Ce coup de main permet aux Ménard de finir le travail beaucoup plus tôt et de prendre le petit-déjeuner en compagnie de leurs invités. Rose-Marie a déjà cuisiné une quinzaine de crêpes à leur arrivée à la cuisine. Elle sert aussi des œufs à ses convives affamés pour leur donner la force de traverser les épreuves de la journée. À la fin du repas, le guide demande aux garçons de nourrir les chevaux et de s'habiller chaudement. Les jumeaux et l'aîné des Ménard s'exécutent et se dirigent en courant vers l'écurie. Adèle a préparé un goûter qu'elle offre généreusement aux fuyards.

Adrien reste songeur :

— Préparez-vous à un long trajet jusqu'à la frontière du Maine.

— Essayons surtout de conserver notre avance sur les soldats, répond Pierre.

— Les chevaux nous attendent, papa, l'informe Paul. Nous pouvons partir.

— Je me demande comment vous dédommager... Pour le moment, je...

— Le père Jean-Marie m'a remis l'argent à son arrivée à Lévis. Les chevaux vous appartiennent.

— Allons-y ! lance Adrien. Le danger nous guette si nous tardons trop. Les voisins doivent ignorer votre présence, car plusieurs encouragent la délation dans la région.

À ces mots, les cavaliers frappent le flanc de leur monture avec leurs pieds et se dirigent vers la forêt, à l'abri des regards indiscrets. Adrien connaît les sentiers comme le fond de sa poche.

— Pourquoi courir autant de risques pour des étrangers ? s'informe Pierre.

— Je veux collaborer pour sauver le plus de patriotes possible de la prison et peut-être même de l'échafaud. Les gens me paient pour servir de guide, sinon ma femme me déclarerait la guerre, déjà que je prends mon travail beaucoup trop à cœur à son goût ; elle craint l'arrivée des soldats à tout moment.

Les fugitifs évitent les villages et longent la rivière une grande partie de la journée. À cause des averses de la semaine précédente, ils pataugent dans les marécages et, souvent, doivent marcher à côté de leurs chevaux pour avancer en sécurité. Le groupe atteint Saint-Georges-de-Beauce en fin d'après-midi après avoir contourné les postes de sentinelles et subi les assauts des nuées de moustiques. Les fuyards se résignent à se couvrir le visage et les mains de boue pour éloigner les insectes.

— Je vous laisserai à Jackman, dans le Maine, explique Adrien. Après, vous continuerez seuls votre route. Du Maine à l'État de New York, vous en aurez pour au moins sept jours à voyager sur des chemins boueux, infestés d'insectes.

Les jumeaux se regardent avec une moue de découragement. Ils s'ennuient de leur mère et des petits. Adrien craint surtout les patrouilles militaires le long de la frontière et leur propose de passer la nuit à la belle étoile, près de la rivière Chaudière. Les voyageurs tombent de fatigue et dorment jusqu'à l'aurore, enroulés dans leur couverture de laine. Le guide s'est levé plus tôt pour pêcher plusieurs truites en prévision du petit-déjeuner. Après le repas, Georges s'attarde dans la forêt pour se choisir des branches et tailler des flèches.

— Avec deux fusils et un arc, les officiers anglais devront marcher droit, dit-il en faisant le fanfaron.

— Après des mois à les côtoyer à la prison, je les plains vraiment, déclare Jeanne. Leurs supérieurs les obligent à tuer des prisonniers, à les menacer, à les torturer et à les surveiller ; pourtant, je les considère comme des gens normaux.

— Je t'en prie, répond Paul. Les soldats de Colborne nous détestent ; leur accorder une once de confiance, c'est signer notre arrêt de mort.

— Chaque être humain a une mission à accomplir, mes enfants. Oui, les militaires ressentent les mêmes sentiments que nous et font sans doute des rêves similaires aux nôtres, mais ils doivent obéir quand ils reçoivent l'ordre d'exécuter une personne.

— Je les attends ! lance Georges, sur un ton de défi.

Il place une flèche sur la corde, tend son arc et vise un canard sauvage. L'oiseau tombe un peu plus loin.

— Superbe ! s'exclame Paul, dont l'admiration pour son frère paraît sans limites.

— Ton parrain t'a très bien entraîné, commente Adrien, quand le jeune homme lui parle du forgeron Demers.

À peine a-t-il prononcé ces mots que des bruits de sabots parviennent à leurs oreilles. Tous se dissimulent dans la forêt avec les chevaux, prêts à s'enfuir ou à se défendre, si l'ennemi se montrait. Par chance, la troupe, composée d'une dizaine de cavaliers, se dirige vers Beauceville sans arrêter sa course.

— Sauvés pour cette fois, murmure Adrien. Continuons notre route.

Georges court chercher son canard, le plume, l'éviscère et l'enfouit dans son sac en prévision du prochain repas. Avant de partir, les voyageurs ajoutent une couche de boue sur leur visage pour empêcher une énième attaque massive de moustiques.

— J'ai vu une illustration de chimpanzé dans le journal une fois. Eh bien, nous ressemblons à ce singe comme deux gouttes d'eau.

Ses compagnons éclatent de rire. Les jumeaux commencent à sautiller, à imiter le son et les gestes du singe. Après ce moment de détente et surtout de défoulement, la pénible randonnée reprend à travers bois, au bord de la rivière.

13

Une odeur de liberté

Les sentiers se succèdent et, parfois, les fugitifs se sentent perdus au milieu de l'immensité du territoire. Par chance, Adrien possède un bon sens de l'orientation et les conduit vers le sud avec assurance, là où la liberté les attend. Mais des dangers constants menacent le groupe.

— Halte ! ordonne le guide. Vite, sous les arbres !

Pierre lève les yeux et aperçoit un poste de sentinelles avec trois hommes en devoir. Les fuyards se sauvent en silence dans les bois. Les militaires ont entendu des bruits dans la forêt et scrutent les lieux de tous les côtés : ils ne voient rien ni personne.

— Je descends patrouiller dans les environs, déclare l'officier. Des branches ont bougé et je veux savoir si une bête sauvage rôde dans les parages.

— À moins qu'une jolie femme se promène aux alentours ! lance son camarade pour plaisanter.

— Fais-moi rêver ! répond le subalterne dans la jeune vingtaine.

Dissimulés derrière un immense sapin, les fugitifs semblent figés. Si les factionnaires les découvrent, ils se retrouveront sans aucun doute en prison pour une longue période. Georges prépare son arc et ses flèches ; Pierre place sa carabine sur son épaule ; les jeunes dévissent la tête d'Indien de leur bague. Adrien, lui, se couche à plat ventre au milieu des feuilles multicolores pour se camoufler et intervenir au moment opportun.

— Halte ! crie une voix derrière eux.

La surprise reste totale pour les Gagnon et leur guide. Ils se retournent et voient un soldat avec un fusil braqué sur eux.

— Laissez tomber vos armes !

Les deux hommes obéissent à l'ordre reçu ; les jumeaux se contentent de jouer avec le bijou. Tous attendent la suite des événements avec anxiété.

— Quel mauvais coup préparez-vous en plein bois ?

— Nous chassons le petit gibier, répond Georges dans un anglais approximatif. J'ai déjà abattu un canard.

— Des chasseurs qui craignent l'armée de Sa Majesté... Étrange, quand même, et plutôt surprenant.

Adrien pense fuir, mais l'inconnu avance dans sa direction.

— Que se passe-t-il vraiment ici ?

— Une excursion de chasse, affirme Pierre.

— Avec un fusil britannique ?

Le soldat ordonne aux fugitifs de s'identifier. Tous gardent le silence, mais Jeanne feint de pleurer pour attirer la sympathie.

— Je veux savoir à qui je parle ! hurle l'officier. Enlevez-moi cette sale boue de vos visages !

Il pointe son arme vers eux et appelle ses hommes. Jeanne se lamente de plus belle, place l'aiguille en position et simule un évanouissement. Paul, en vrai jumeau, devine les intentions de sa sœur et se prépare lui aussi. La tige minuscule atteint la joue droite du Britannique quand celui-ci décide de soulever la jeune fille. Le soldat tombe face contre terre. Rapide comme l'éclair, Georges reprend son arc et abat coup sur coup les autres sentinelles. Un premier déboule l'escalier ; l'autre dégringole de son perchoir, puis s'écrase lourdement au sol. Pierre, surpris d'autant d'efficacité, presse ses enfants sur son cœur. Adrien se relève, sidéré par l'habilité et le sang-froid des adolescents. Le guide se dit abasourdi par le dénouement expéditif de l'escarmouche.

— On ignore toujours qui on côtoie vraiment. Vous êtes de vrais combattants !

— Depuis des mois, les jumeaux et moi avons une seule idée en tête : libérer notre père. Je ne laisserai personne nous enlever notre liberté retrouvée, surtout à quelques minutes de la frontière.

Adrien s'approche des trois audacieux, le regard rempli d'admiration. Il serre la main de Georges, puis se tourne vers les jumeaux et les gratifie d'une accolade.

— Vous m'avez sauvé, je m'en souviendrai toute mon existence. Quant à toi, Pierre, sois fier de tes enfants. Ils t'aiment beaucoup pour risquer leur vie afin de préserver la tienne.

Le père sourit, regarde sa fille et ses fils avec tendresse. Adrien le ramène pourtant vite à la réalité.

— Partons avant le réveil de l'officier. Je devine sa furie quand il découvrira ses compagnons.

Georges propose d'ensevelir les soldats pour brouiller les pistes. Après avoir trouvé deux pelles dans le poste de garde, les fuyards creusent la fosse, y déposent les corps et les enterrent. Une épaisse couche de feuilles mortes masque les lieux. Le groupe file à l'anglaise après avoir caché les fusils. Adrien les récupérera à son retour du Maine.

— Allez, mes enfants ! lance Pierre, je sens déjà l'odeur de la liberté.

Les voyageurs contournent le sentier principal pour éviter les douaniers et franchir la frontière à travers bois. Ils reprennent la route dix minutes plus tard et galopent jusqu'à Jackman. Adrien se dit heureux de connaître les Gagnon et espère les rencontrer un jour, dans des circonstances plus favorables à l'amitié.

— Vous venez de réussir une étape importante, mais vous devrez encore traverser trois États. Restez prudents, patriotes !

Le guide saute sur son cheval et retourne sur-le-champ au Bas-Canada où l'attend sa famille. Un dernier sourire, un signe de la main, puis il disparaît de leur vue.

Pour Pierre et les adolescents, le chemin à parcourir semble interminable et parsemé d'embûches. Reverront-ils leurs parents et amis ? Des centaines de kilomètres à se frayer un chemin, de Jackman à Champlain, à travers bois, parfois dans les sentiers. Ils devront traverser des rivières et des ruisseaux, puis trouver à boire et à manger tous les jours dans un environnement inconnu.

14

Dans les bras de Gabrielle

Pierre et les enfants arrivent à Champlain dix jours après leur départ de Jackman. La rencontre avec un ours leur a fait craindre le pire, mais la bête sauvage s'est vite éloignée quand elle a aperçu des humains. Georges l'attendait de pied ferme avec son arc tendu, prêt à viser. Deux chevaux sont morts de fatigue : celui de Jeanne, peu avant Montpelier, et celui de Pierre, en plein centre-ville de Burlington. À cet endroit, un proche d'Édouard-Étienne Rodier a hébergé les Gagnon deux nuits, le temps pour Paul de soigner une mauvaise grippe et de prendre un peu de repos. Trois patriotes ont ensuite conduit la famille à Swanton, chez Julien Gagnon. Après les embrassades et les accolades, le cousin de

Pierre leur raconte les dernières nouvelles, dont le retour des huit patriotes exilés aux Bermudes. Depuis la création de l'association des Frères Chasseurs, les événements semblent vouloir se précipiter ; les réfugiés, aidés de volontaires américains, prévoient envahir le Bas-Canada pour renverser le régime colonial.

Pierre reste sceptique :

— Crois-tu vraiment à la réussite d'une telle entreprise ?

— Des milliers d'hommes soutiennent notre cause ; des recruteurs sillonnent les deux pays pour inciter les combattants à se joindre à notre société secrète.

Selon Julien, le principal chef de l'armée patriote après Octave Côté et Robert Nelson, de nouveaux adhérents s'associent tous les jours au mouvement de révolte.

— Pour l'instant, l'organisation compte trente-cinq sections réparties dans les régions de Trois-Rivières, de Châteauguay, de Beauharnois, de Longueuil, de Saint-Césaire, de Contrecœur, de Montréal et dans plusieurs autres endroits. Si j'ajoute foi aux propos du docteur Côté, le moment venu, ces soldats de la liberté s'empareront de leurs villes et de leurs villages.

— Ce plan semble trop beau pour être vrai. Les membres iront-ils jusqu'au bout ?

— Certains se désisteront à la dernière minute, mais j'accorde toute ma confiance aux gens du Bas-Canada. Il y a une ombre au tableau cependant : des citoyens de Saint-Cyprien-de-Napierville m'ont rapporté que le curé Amyot posait beaucoup de questions indiscrètes à ses paroissiens. Je crains qu'il ne raconte tout à son évêque.

— Lartigue a abandonné les habitants en 1837. Il continue à les dénoncer encore aujourd'hui et il les menace d'excommunion à cause de leurs actions contre le pouvoir colonial.

— En plus, soutient Julien, ce traître a refusé d'inhumer les patriotes morts au combat dans un cimetière catholique : il force le clergé à enterrer les dépouilles avec les enfants décédés sans baptême.

— Les délateurs constituent une vraie plaie pour un peuple conquis depuis si longtemps. Ils croient gagner le respect de l'oppresseur, mais, en réalité, les gens au pouvoir les méprisent.

Les deux cousins discutent pendant des heures, jusqu'au réveil de Georges. Ce dernier les rejoint pour une collation dans la cuisine.

— Nous devons arriver le plus vite possible à la maison pour mettre fin à l'inquiétude de maman.

Julien lui donne raison et demande à l'un de ses hommes de les conduire à Rouse's Point, de l'autre côté du lac Champlain. Les retrouvailles entre Gabrielle et les quatre voyageurs se déroulent dans un climat rempli d'émotions. Au bout de longues minutes d'embrassades, les pleurs des uns alternent avec le rire des autres. Agnès bondit de joie et court, les bras tendus vers son père. Elle se dirige ensuite à grands pas vers Jeanne et ses grands frères. Timides, les plus jeunes demeurent sur leur garde et semblent incertains de leurs sentiments devant les nouveaux venus.

Si Gabrielle et les petits paraissent en bonne forme, les arrivants, avec leurs vêtements sales et déchirés, ont l'air épuisé. Ils tombent de sommeil. Les jumeaux se déshabillent, se lavent, puis se jettent sur leur paillasse presque douillette. Georges les imite avec la ferme intention de dormir pendant plusieurs jours.

Resté seul, le couple s'étend sur le lit pour reprendre le cours de leur vie.

— Je t'aime, mon amour, murmure Pierre à l'oreille de sa femme.

— Je t'aime aussi. Je me suis tellement inquiétée !

— Si seulement j'avais pu prévoir jusqu'à quel point ma famille souffrirait, jamais je ne me serais autant impliqué.

— Ne te reproche rien : aujourd'hui, tu tournerais en rond dans la cuisine, des regrets plein la tête.

— Nous possédions une maison, une ferme prospère et un cheptel important ; nous avons tout perdu par ma faute.

— Les forces en présence nous défavorisent et Colborne, avide de pouvoir, nous met à genou.

— Durham parti, le « vieux brûlot » redevient le chef du Bas-Canada. L'Angleterre nous a livrés corps et âme au bon vouloir de ce pyromane.

— L'injustice continuera à coup sûr.

— Comble de malheur, notre exil peut s'étirer sur plusieurs années. La pauvreté et la misère nous frapperont sans doute au bout de la route.

Gabrielle pose le front sur l'épaule de son Pierre ; ils ferment leurs yeux remplis de larmes. À son réveil, la petite Agnès regarde son père dormir, attendant avec patience le mouvement de ses paupières. Le sourire de la fillette chasse les idées noires de son père ; il prend sa fille dans ses bras, l'embrasse sur le nez, s'amuse à lui chatouiller les pieds. Au même instant, Robin, Philippe et Marc entrent dans la chambre et sautent dans le lit pour participer eux aussi à leur jeu favori. Leur mère les suit de près ; Pierre l'enlace avec tendresse.

— Les jumeaux sont partis à l'école sans rechigner et Georges a quitté la maison vers sept heures.

Pierre sourit. Son fils lui a parlé d'Eugénie avec tant d'amour ; elle seule peut l'attirer comme un aimant. Il a simplement recommandé à son fils de jouer de prudence lorsqu'il traversera la frontière.

Au même moment, le voyageur se présente chez Eugénie à l'improviste. Aidé par son père revenu d'exil, Oscar a terminé l'intérieur de la cabane où la famille s'est installée pour l'hiver. La jeune fille se blottit dans les bras de son amoureux, sous le regard sévère et légèrement désapprobateur de ses parents. Oscar arrive de la grange au pas de course pour accueillir son ami et tout savoir de son voyage à Québec.

Les yeux des membres de la famille Pinsonneault s'écarquillent quand Georges relate ses aventures, surtout l'épisode de la libération de Pierre. Léo, le père d'Eugénie, se lève d'un bond et, d'une façon solennelle, lui serre la main.

— Ton courage prouve ta loyauté envers les êtres qui te sont chers ; tu me sembles digne d'être mon enfant. J'approuve donc votre mariage, mais seulement quand vous aurez dix-huit ans.

— La rébellion finira bien un jour ! lance sa femme, Anne. Ta famille reviendra à Napierville et vous pourrez vous y installer.

Le fils Gagnon préfère rester muet sur l'exil sans doute permanent de son père ; ses futurs beaux-parents l'apprendront bien assez vite. Les deux tourtereaux optent pour une promenade en forêt, l'endroit idéal pour s'embrasser et parler de projets d'avenir. Léo demande à Oscar de les accompagner pour surveiller Eugénie. Le garçon esquisse un sourire espiègle, prend son fusil et suit les amoureux pour jouer au chaperon. Il les abandonne dans le sentier pour aller chasser le lièvre, sans oublier de leur donner rendez-vous au même endroit, une heure plus tard. À leur retour à la maison, Julien Gagnon, le chef des rebelles, s'est arrêté chez les Pinsonneault pour se reposer. Il leur donne des nouvelles chaque fois qu'il traverse la frontière. En plus de rendre visite à sa famille à Pointe-à-la-Mule, même s'il a été banni du Bas-Canada, il profite de son séjour pour recruter des combattants .

Beaucoup s'enrôlent dans l'Association des Frères Chasseurs. Mais n'entre pas qui veut dans cette organisation secrète : la recrue doit prêter un serment solennel et deux membres actifs doivent la présenter.

— Je rencontre Chevalier de Lorimier ce soir, leur apprend Julien. Il s'emploie à organiser la rébellion dans la région de Beauharnois.

Léo, Oscar et Georges lèvent les yeux quand ils entendent le nom du notaire, rentré d'exil l'été précédent. Tous admirent cet homme pour son courage et sa détermination.

— Il a collaboré au soulèvement de l'automne 1837, ajoute Julien. Pour le récompenser, Robert Nelson l'a nommé brigadier général de la garnison.

— J'aimerais vraiment lui serrer la main, affirme Oscar.

— Alors, accompagnez-moi à ma ferme de Napierville. Nous assermenterons plusieurs nouveaux Frères Chasseurs.

Anne et Eugénie redoutent les conséquences d'une telle action et supplient les hommes de réfléchir avant de devenir des hors-la-loi, mais Léo les appuie.

— Je veillerai sur ton amoureux, promet Oscar à l'intention de sa sœur.

— Et moi sur toi, futur beau-frère ! lance Georges dans un éclat de rire.

Curieux de rencontrer les principaux chefs de file patriotes, Oscar et Georges suivent Julien à cheval. En attendant leur hôte, une soixantaine de personnes discutent et se promènent d'un bâtiment à l'autre sur la propriété des Gagnon. Plusieurs fument la pipe et essaient de se réchauffer avant l'assermentation. Les gens crient des hourras à l'arrivée de Julien, accompagné de ses invités. Le bruit attire de Lorimier à l'extérieur.

— Mon ami ! Quel bonheur de te revoir !

Les deux chefs se serrent la main, puis Julien lui présente les garçons. Les yeux marron de Chevalier de Lorimier expriment une sorte de compassion naturelle ; son visage rond et franc plaît tout de suite aux deux visiteurs. Georges a l'impression de retrouver un ami après une longue séparation.

— Bienvenue chez les Frères Chasseurs.

— Mes amis voulaient connaître un vrai héros.

— Cette soirée m'apparaît idéale pour faire connaissance.

Cette fois, de Lorimier se tourne vers Georges.

— Vous me semblez bien jeune pour vous joindre à nous.

— Fie-toi à moi : Georges vaut dix combattants à lui seul, répond Julien. Il a même organisé l'évasion de son père.

— Vraiment ?

— Mon cousin exagère, réplique Georges avec un léger sourire. Nous venons ici pour apprendre.

Julien attache son cheval et demande aux hommes désireux de s'allier à l'organisation de lever le bras. Tous s'exécutent, y compris Oscar et Georges. La cérémonie d'initiation débute enfin : les yeux bandés, les participants entrent dans la grange par groupe de quatre ; ils s'agenouillent, puis, la main sur la Bible, chacun promet de garder le secret avant de répéter la formule du serment.

— Moi, Georges Gagnon, librement et en présence du Dieu tout-puissant, jure solennellement de respecter les signes secrets et mystérieux de la société dite des Frères Chasseurs.

Les initiés s'engagent aussi à aider leurs camarades et à se conformer aux règles. Après l'initiation, les gens s'interrogent sur les moyens à prendre pour réaliser leur plan. Oscar et Georges écoutent la conversation entre Chevalier et Julien.

— Les patriotes ramassent des fonds pour acheter des armes, dont la plupart proviennent des États-Unis. Les fusils entrent toutes les nuits au Bas-Canada et sont ensuite cachés dans différents endroits, en prévision de l'attaque finale.

— Depuis ton retour d'exil à l'été 1838, répond Julien, tu as parcouru le territoire dans tous les sens, sans relâche, pour rallier les partisans à la cause. J'admire ta force de caractère.

— Je crois à la liberté de notre nation. À Sainte-Martine, à Saint-Constant, à Saint-Timothée ou à Beauharnois, des combattants attendent avec impatience de porter le coup fatal au régime britannique, soutient de Lorimier.

Oscar livre ses impressions à son ami :

— Le notaire commande le respect : il semble brillant, généreux et, surtout, décidé à combattre pour libérer son peuple.

Dans l'esprit des deux garçons, cette soirée représente un moment-clé de leur vie :

ils y rencontrent la plupart des meneurs de la rébellion, dont Élisée Malhiot, les frères Ambroise et Charles Sanguinet, Pierre-Rémi Narbonne, Édouard-Étienne Rodier, François Nicolas et Amable Donais. Ils serrent la main de Narcisse Cardinal, de Joseph Duquette et de Maurice Lepailleur, de la région de Châteauguay. Tout en conversant, ils apprennent que le début de novembre pourrait s'avérer déterminant pour l'avenir du Bas-Canada. Les armes et l'argent deviendront, comme dans tous les conflits, le nerf de la guerre.

Une nuit noire
pour Sophie

Le trafic d'armes continue entre les états frontaliers de la Nouvelle-Angleterre et la région sud de Montréal ; Julien Gagnon, véritable pilier de l'organisation, demande parfois à son cousin de l'aider à en transporter. En dépit des réticences de Gabrielle, les jumeaux insistent pour accompagner leur père et leur frère Georges. La famille Gagnon charge deux charrettes de fusils et de munitions à Swanton avec mission de les amener près de Rouse's Point. Dans l'obscurité totale, Paul et Jeanne surveillent les alentours durant l'opération ; ils doivent les prévenir du danger.

Une barge, en provenance de Saint-Athanase, accoste avec cinq hommes à son bord pour prendre possession d'une cargaison. Une belle surprise attend les Gagnon : Charles et Jérôme Lapalme, les fils d'Odile, viennent leur serrer la main. Georges pensait avoir reconnu leurs voix graves, mais avait préféré garder le silence. Après une brève conversation pour échanger des nouvelles de la maison, le transbordement s'effectue avec une grande rapidité de part et d'autre. Au même moment, des officiers des États-Unis surgissent de nulle part.

— *Wait a moment, please!*

Tous craignent une descente de l'armée, mais les soldats agissent de façon amicale. Ils apportent d'ailleurs un chargement de mousquets américains, de baïonnettes et de cartouchières. Le transfert terminé, contrebandiers et militaires repartent aussitôt vers leur village respectif.

— Mission accomplie ! s'exclame Georges avec une fierté évidente.

Sur le chemin du retour, les combattants de l'ombre font un arrêt à l'une des propriétés de Julien Gagnon, à Napierville, pour y déposer une partie de la marchandise. Son fils Jules les aide à transporter la précieuse cargaison. Julien se présente pendant le transbordement et se dit heureux de retrouver les siens et de constater que la mission a été un succès. Même si le chef des rebelles risque à tout moment d'être dénoncé et emprisonné, il traverse la frontière chaque semaine pour rendre visite à sa famille.

— Tu devrais moins t'exposer, lui conseille sa femme Sophie.

— Aucun bureaucrate ne deviendra riche sur mon dos, répond invariablement le patriote.

Il rentre au Vermont à l'aurore, toujours avec une extrême prudence, mais malgré sa vigilance, des délateurs épient ses allées et venues. Un soir, convaincus de sa présence sur les lieux, les soldats envahissent sa maison dans le but de le capturer. Des amis en informent Julien, en visite chez Pierre.

— Des militaires ont maltraité tes deux fils, détruit les meubles et démoli une partie de la résidence.

— Qu'est-il arrivé à Sophie et aux enfants ?

— Elle a dû quitter les lieux sans rien emporter. Les volontaires ont même menacé les voisins de représailles s'ils acceptaient de les héberger.

— Partons tout de suite ! lance Julien, inquiet pour sa famille.

Pierre et ses messagers l'accompagnent pour tenter de retrouver Sophie. Ils se rendent d'abord à la ferme.

— Quatre sentinelles surveillent la propriété, les informe Julien.

— Les loyalistes vont les repêcher dans la rivière Richelieu, promet Pierre. J'aurai l'impression de me venger pour la destruction de ma propre demeure.

Après s'être débarrassé des intrus, Julien questionne les voisins. Sur la base d'informations fournies par l'un d'eux, il retrouve Sophie et ses enfants dans une grange abandonnée entre Napierville et Lacolle. La peur au ventre à l'idée d'apercevoir les habits rouges, ses enfants surveillent les alentours à tour de rôle. Quand ils voient leur père et ses amis arriver au galop sur la route poussiéreuse, ils sautent de joie et crient à tue-tête. Sophie sort du bâtiment au pas de course pour embrasser son mari et lui raconter ses malheurs. Julien la serre dans ses bras pour la rassurer, puis prend les enfants sur son cœur pour démontrer son amour. Il décide sur-le-champ de les amener au Vermont pour les mettre à l'abri de la vengeance britannique. Après une chaleureuse poignée de main, Pierre reprend la route. Une mauvaise nouvelle l'attend à son arrivée à Champlain : Colborne l'a banni du Bas-Canada et il ne pourra y retourner sans la permission des autorités, sous peine d'emprisonnement. Son évasion de la prison de Québec embarrasse le « vieux brûlot » et la justice militaire a dû réagir. Gabrielle se désole pour son mari, mais se dit soulagée : son Pierre reste le seul visé ; Georges et les jumeaux semblent épargnés. L'aîné de la famille pourra continuer à voir Eugénie sans imaginer une épée de Damoclès au-dessus de sa tête. De son côté, même si la jolie Eugénie comprend les motivations de son bien-aimé, ses activités politiques la contrarient.

Elle s'adresse à son frère Oscar :

— Tu apprécies beaucoup Georges et je l'aime aussi. Essaie de le raisonner ou, au moins, de le protéger.

— Je m'efforce de le prévenir du danger relié à ses idéaux, mais l'idée de se venger demeure bien ancrée dans son esprit.

— Je crains tellement que les soldats ne l'emprisonnent de nouveau.

— Sa fougue me préoccupe beaucoup.

— Il devrait apprendre à la modérer un peu. Nous planifions tellement de projets ensemble. Parfois, j'ai peur de le perdre.

— Ton homme sait mieux se défendre que les autres combattants. À ses côtés, je me sens en sécurité.

Comme tous les Canadiens du voisinage, Eugénie prévoit des temps durs et des souffrances pour la population. *Le pire reste à venir*, songe-t-elle en se demandant aussi ce que lui réserve sa relation avec Georges. Arrêtera-t-il un jour de s'engager dans toutes sortes d'entreprises risquées ?

Les messagers des patriotes

Par une belle matinée d'automne, tôt le matin, Georges arrive chez les Pinsonneault. En voyant son amoureux, Eugénie lui saute au cou. Sa mère la gronde pour la forme, mais elle embrasse tout de même le jeune homme sur les deux joues. Intriguée par le visage un peu figé de son bien-aimé, Eugénie pressent l'annonce d'une mauvaise nouvelle.

—Viens-tu te promener dans la forêt ?

— Bien sûr ! J'adore l'odeur du bois, en cette période de l'année.

Au même moment, Oscar, la mine réjouie, apparaît dans le cadre de la porte.

— J'ai préparé mon sac et de la nourriture. Nous partirons à ton retour.

Eugénie perd son sourire, mais reste silencieuse. Les yeux rivés sur Georges, l'air troublé, elle le tire par le bras pour l'amener dans le sentier forestier.

— Je savais que tu me cachais quelque chose !

— Je voulais t'expliquer moi-même la raison de ce voyage, mais ton frère...

— Où vas-tu avec Oscar ?

— Julien Gagnon nous a confié une mission : nous devons livrer des messages aux principaux chefs de la rébellion.

— Je déteste la guerre !

— Moi aussi, mais l'injustice, le mépris et la dictature causent beaucoup de souffrances parmi les nôtres. Nous sommes forcés de réagir, même si nos propres familles en subissent les conséquences tous les jours. Comme beaucoup de jeunes gens, Oscar et moi combattons pour la liberté. Mon père le répète souvent : nous devons en finir une fois pour toutes avec l'occupation britannique.

— Partez-vous pour longtemps ? demande Eugénie, résignée.

— Une dizaine de jours tout au plus ; nous pourrons ensuite nous embrasser comme aujourd'hui.

Eugénie éclate en sanglots. Georges caresse les longs cheveux noirs et les joues rougies par le froid de sa bien-aimée, puis promène son index sur les lèvres frissonnantes de la jeune femme. Tous deux se regardent dans les yeux un moment et s'enlacent avec passion.

— Je t'aime, mon amour.

— Reviens-moi vite et en un seul morceau. C'est un ordre ! Mes pensées t'accompagneront jusqu'à ton retour.

Les amoureux retournent sur leur pas et rejoignent Oscar dans la grange. Impatients de partir, les voyageurs sellent les chevaux et y attachent leurs bagages, dont deux couvertures en étoffe du pays. Le jeune Pinsonneault embrasse ses parents et promet de rester prudent. Georges pose un regard tendre sur Eugénie, puis enfourche sa monture. Les messagers des patriotes saluent la maisonnée d'un signe de la main, avant de disparaître dans la forêt. Ils se dirigent vers Beauharnois, mais prévoient un arrêt à Saint-Édouard. Les deux cavaliers se tiennent loin des villages loyalistes pour éviter les mauvaises rencontres. Le temps doux favorise leur longue randonnée à cheval dans les sentiers forestiers et les chemins cahoteux. Les heures passées en silence les amènent à réfléchir à l'importance de leur mission. Georges, lui, médite sur les raisons qui l'ont incité à l'accepter. Il a d'abord refusé lorsque Julien lui a proposé de servir de courrier. Le jeune homme s'est finalement décidé après avoir entendu une conversation entre son père et Julien Gagnon. Les deux cousins discutaient dans l'écurie quand il est arrivé à l'improviste. Caché derrière la porte, Georges a écouté la discussion. Julien parlait des projets de Nelson :

— Les patriotes d'ici ont établi des contacts avec William-Lyon Mackenzie, le chef des rebelles du Haut-Canada. Nous préparons un plan combiné pour attaquer plusieurs cibles stratégiques le même jour.

— Penses-tu qu'ils tiendront parole ?

— J'en suis convaincu ; mais qui sait, tout peut dérailler au moindre faux pas.

— Le mouvement possède différents dépôts d'armes, dont un très important à Burlington, constitué en prévision d'une attaque. Les fusils continuent d'entrer toutes les nuits.

Le jeune Gagnon est reparti sur la pointe des pieds en emportant le secret avec lui. Le lendemain, Georges a accepté de devenir un messager pour les patriotes. Puis, il en a parlé avec Oscar... Il regrette aujourd'hui de connaître les détails de l'opération car, si les militaires l'arrêtent et le torturent, ils essaieront de lui délier la langue. Par amitié et pour protéger Oscar, il a préféré le laisser dans l'ignorance.

Déterminés à livrer l'information aux patriotes, les deux messagers bifurquent vers Saint-Édouard pour saluer le fougueux Pierre-Rémi Narbonne. L'homme de taille moyenne, à l'épaisse chevelure bouclée, manchot depuis un accident dans son enfance, les reçoit avec une grande politesse. Il interroge les adolescents, ses deux yeux vifs fixés sur eux, voulant tout connaître des derniers développements. Il promet avec conviction de combattre pour la liberté le moment venu.

Oscar et Georges continuent leur route jusqu'à Saint-Timothée, chez François-Xavier Prieur, où ils rencontrent le notaire Chevalier de Lorimier et le docteur Jean-Baptiste Brien. Le jeune médecin leur offre le gîte et les met très à l'aise, grâce à sa fougue et à sa bonne humeur. Après le repas, les courriers remettent à de Lorimier la lettre signée par Octave Côté et Robert Nelson ; dans cette missive, il est mentionné que l'attaque finale aura lieu au début de novembre 1838. D'ici là, les chefs régionaux doivent rassembler les insurgés et trouver des fusils.

Pendant la soirée, Chevalier de Lorimier et ses amis dévoilent, aux deux jeunes hommes, six canons de bois cerclés de fer, fabriqués par un menuisier de l'endroit.

— Les combattants possèdent peu d'armes, nous devons les créer pour gagner la bataille.

Les yeux de Chevalier de Lorimier brillent quand il parle d'indépendance et de liberté ; son visage s'anime et révèle les nobles sentiments qui l'habitent, ainsi que son dévouement pour la cause et l'amour de sa patrie.

Le lendemain matin, lors d'une conversation avec monsieur Prieur, Georges et Oscar apprennent que les rebelles de Saint-Martin et de Terrebonne s'empareront, le moment venu, du pont Lachapelle, pour couper les communications entre le Nord et le Sud. Ceux des Deux-Montagnes doivent de leur côté empêcher les volontaires de la région d'Argenteuil d'aller prêter main-forte aux loyaux de Montréal. Sur ces propos encourageants, les deux voyageurs prennent la direction de Châteauguay pour rencontrer le notaire Narcisse Cardinal, un homme calme, réfléchi, prudent et entêté. Ils lui remettent le message sans délai. Les courriers font connaissance avec Joseph Duquette, un ardent et dévoué patriote dans la vingtaine et élève de Cardinal en notariat. Aimable, un peu insouciant et possédant une imagination débordante, il s'exprime avec élégance et facilité.

Les deux cavaliers se dirigent vers Saint-Constant après un conciliabule d'une soixantaine de minutes avec les chefs, mais une rencontre imprévue, près de l'île Saint-Bernard, retarde leur mission. Stationnée sur le côté de la route, une diligence tirée par un cheval, dont une roue s'est décrochée, attire leur attention.

Quand les deux messagers s'approchent, une femme d'environ dix-sept ans, en pleurs, leur demande de l'aide. Oscar la trouve jolie avec ses longs cheveux roux et ses yeux verts. Toujours prêts à secourir les plus démunis, les voyageurs descendent de leur monture. Au même moment, un homme armé surgit de la forêt :

— Entrez dans la voiture !

— Que voulez-vous ? Vous perdez votre temps, nous ne possédons pas d'argent.

— Je verrai tout à l'heure si j'ai réalisé un bon coup. Pour l'instant, obéissez !

Un fusil dans les côtes, les garçons s'exécutent. Sa complice leur lie les mains derrière le dos et les bâillonne. Le bandit, dans la vingtaine, le regard sombre et vif, affiche une barbe de plusieurs jours. L'homme attache les chevaux à la diligence, remet la roue en place, puis conduit l'équipage vers un endroit inconnu. Désarmés, à la merci des deux brigands, les messagers pensent à leur mission interrompue et se désolent devant une situation qui leur semble, à première vue, sans issue. Ils traversent un ponceau et s'arrêtent près d'un vieux moulin à vent, construit à l'époque de la Nouvelle-France. Georges se méfie de l'inconnu et conseille à son compagnon de rester calme pour éviter une fusillade inutile.

— Tout le monde descend ! Et pas de fourberie.

Le bandit au visage féroce leur braque son arme dans le dos et leur ordonne de pénétrer dans l'ancien bâtiment. La femme les pousse avec rudesse et les menace avec un poignard :

— Si vous tentez quoi que ce soit, je vous montrerai mon habileté avec cet instrument. J'entaille la chair en deux secondes.

Le bandit enlève leur bâillon pour les interroger.

— Je vous présente mon amie Marie, les enfants. Je m'appelle Joseph et, croyez-moi, jamais je ne deviendrai un saint. Alors, d'où venez-vous ?

Les prisonniers déclinent leur identité et leurs coordonnées.

— Tu te trompes sûrement de personnes, ajoute Oscar. Nous allons chez Joseph Robert, à Saint-Philippe, pour un petit travail de trois semaines sur la ferme.

— Nous vendrons les chevaux, reprend Marie avec un sourire malicieux. Pour le moment, je procède à une fouille en règle.

— N'en fais rien ! ordonne Joseph sur un ton agacé. Je m'occupe moi-même de ces innocents.

— Dommage, ce bel Oscar me plaît bien.

— Inspire-toi plutôt de ma méthode, dit-il en regardant le jeune homme.

À ces propos, Joseph lui administre une gifle du revers de la main. Oscar lance un cri de douleur et roule sur le sol. Georges, en colère, promet de se venger à la première occasion.

— Tu m'avais juré de changer ton comportement !

— Cesse de reluquer les bons à rien et je me tiendrai tranquille !

— Ta jalousie m'exaspère.

— Tais-toi et obéis, sinon tu vas goûter à ma médecine !

Furieuse en raison de l'attitude belliqueuse de son acolyte, la femme sort pour respirer un peu d'air frais. Pendant ce temps, Joseph vide les poches des victimes, mais récolte à peine quelques grenailles. Marie se méfie de la réaction de son complice, un peu trop enclin à terroriser et à se tourner vers les plus offrants.

— Je perds mon temps avec vous deux ; vos beaux costumes sont un véritable trompe-l'œil.

— Même les fils d'habitants aiment se vêtir à la mode quand ils voyagent, répond Oscar.

— Je crois plutôt que vous flirtez avec les sympathisants rebelles.

— Tu veux plaisanter ! lance Georges. Avec les histoires d'horreur de fermes pillées et brûlées, mon père se tient loin du mouvement de révolte.

— Je suis le meilleur menteur de la région, alors je sais tout de suite quand quelqu'un ment. Et toi, tu me racontes des sottises.

Georges et Oscar rient à gorge déployée, mais ils sentent le tapis glisser sous leurs pieds. Ils craignent surtout que Joseph mette la main sur les lettres destinées aux chefs patriotes, dissimulées dans une pochette, sous la selle de la monture de Georges.

— Je vais vous livrer aux bureaucrates ; s'ils vous recherchent, j'obtiendrai une belle somme pour mes frais. À bien y penser, je confisquerai aussi vos habits.

À peine Joseph a-t-il le temps de terminer sa phrase que Marie, un bâton entre les mains, entre dans le moulin et frappe son complice à la tête. L'homme s'écroule aussitôt sur le sol.

— Tu as assez causé de dégâts pour cette semaine ! crie la jeune femme.

Avant de délivrer les prisonniers, elle leur impose une condition : ils doivent l'escorter jusqu'au traversier, à La Prairie.

— C'est à prendre ou à laisser.

— J'accepte, s'empresse de répondre Oscar.

— Je sais reconnaître un gentil garçon.

À ces mots, elle l'enlace et l'embrasse sur les lèvres. Oscar rougit, mais Georges les coupe aussitôt dans leur élan :

— Je me sentirais plus à l'aise si tu nous détachais. Nous devons fuir avant le réveil de ton complice.

Marie, le regard amusé, coupe les liens des deux prisonniers avec son énorme couteau. Les courriers la remercient et promettent de l'accompagner jusqu'au bateau.

— Peux tu sortir ma selle de la diligence ?

Georges dételle le cheval de la voiture et le prépare pour recevoir la passagère. Il commet peut-être une erreur, mais il tiendra parole. Le jeune messager se questionne malgré tout sur les raisons qui ont conduit la voleuse de grands chemins à les délivrer. Pour le moment, une seule chose compte : poursuivre leur mission.

— Je l'ai ficelé comme un saucisson, lance Oscar en rejoignant son ami. Joseph réussira à se détacher lui-même d'ici quelques heures.

— Parfait !

— En avant ! claironne Marie. Une nouvelle vie commence pour moi.

Avant de se diriger vers La Prairie, le trio fait un arrêt à Saint-Philippe pour y rencontrer Joseph Robert, un cultivateur âgé de cinquante-huit ans, très à l'aise, possédant un cheptel important et une jolie maison : il s'agit de l'homme de confiance du notaire Médard Hébert. Comme partout ailleurs, les patriotes devront désarmer les bureaucrates dans le but de se procurer des armes. Les combattants de ce village se rallieront au groupe de La Prairie, dirigé par le notaire Hébert, où ils s'empareront du traversier. Joseph Robert leur offre l'hospitalité pour la nuit. Il les met en garde :

— Attention aux mauvaises rencontres. Plusieurs Anglais sentent la soupe chaude et accourent à La Prairie pour traverser en direction de Montréal. Ils prévoient des troubles sanglants et préfèrent quitter leur propriété.

Après un copieux petit-déjeuner, les deux courriers et Marie se rendent chez Médard Hébert pour l'informer des attentes de Robert Nelson. Leur hôte leur conseille d'éviter le bateau :

— Les anglophones surveillent les lieux et se méfient des étrangers. Je conduirai moi-même Marie jusqu'au quai, si cette jeune fille accepte mon offre, bien sûr.

Marie acquiesce. Mais avant de la laisser partir, une question turlupine Georges.

— Pour quelle raison nous as-tu sauvés au moulin ?

— Mon père et mon frère se sont enfuis pour échapper à la prison de Colborne. Ils sont d'abord allés à Burlington, mais travaillent maintenant en Californie. J'ai peur de les avoir perdus pour toujours. Quand j'ai entendu Joseph vous menacer de prévenir les Britanniques, j'ai décidé d'en finir avec lui. Je rejoins ma mère à Montréal.

— Tu connais mon adresse à Lacolle, lance Oscar. Tu es la bienvenue si tu veux me revoir.

Cette fois, le jeune homme prend les devants et l'embrasse à son tour. Un dernier sourire, une chaleureuse poignée de main pour monsieur Hébert, puis les deux courriers sautent sur leur monture pour se diriger vers Boucherville et Saint-Hilaire afin de rencontrer Élisée Malhiot. Mais, la présence de l'armée à Longueuil les oblige à contourner le village et les retarde d'une journée. Ils arrivent plutôt chez le marchand Louis Duclos, principal organisateur des patriotes de Belœil, à la tombée de la nuit.

— Vous tombez bien, je prépare une assemblée nocturne, destinée à assermenter de nombreux membres de la société des Frères Chasseurs. Vous pourrez y rencontrer Élisée et lui remettre le message.

— Merveilleux ! s'exclame Oscar.

Les messagers assistent à la cérémonie, puis dorment dans la propriété de Duclos. Ils chevauchent ensuite jusqu'à Chambly pour traverser la rivière Richelieu, puis se déplacent à la Pointe-Olivier et à Saint-Césaire, où le nombre de combattants augmente de jour en jour. Après chacune des étapes, les courriers se sentent plus légers. Ils ressentent aussi une grande fierté à assumer le rôle de messagers et de servir le peuple du Bas-Canada.

Georges suggère de suivre le Richelieu pour le retour.

— J'aimerais rendre visite à ma tante Odile, à Saint-Athanase, pour lui donner des nouvelles de la famille.

La femme les reçoit avec une joie non dissimulée : savoir que sa sœur Gabrielle se porte bien, malgré les malheurs de l'exil, la rend joyeuse. En revanche, ses deux fils militent toujours dans le mouvement patriote et leur intention bien arrêtée de participer à toutes les batailles à venir, la tracassent. Si Colborne triomphe, ils pensent rejoindre le notaire Demaray aux États-Unis pour se faire oublier.

— Nous vaincrons ! lance Georges avec conviction.

Oscar entoure les épaules de son ami en guise d'approbation.

— Au fait, où sont mes cousins ?

— Ils ont quitté la maison très tôt en matinée. Comme d'habitude, j'ignore leur emploi du temps, mais je me doute quand même que mes trésors jouent avec le feu.

Georges embrasse sa tante sur les joues, puis tous deux prennent congé. Après quelques heures de chevauchée, les courriers arrivent à Lacolle où les attend la famille Pinsonneault. Eugénie saute dans les bras de son amoureux et l'enlace avec passion. Ses parents ferment les yeux sur sa conduite inappropriée et se tournent plutôt vers leur fils pour s'informer de sa santé.

Les deux jeunes aventuriers pourraient maintenant crier « mission accomplie » sur tous les toits, mais préfèrent tenir leur langue pour éviter que les délateurs soient mis au fait de leurs actions. Selon Léo, le père d'Oscar, une attaque se prépare ; à en croire la rumeur, les combattants arriveront bientôt à Napierville pour la bataille finale. Avant de partir, Georges donne une chaleureuse poignée de main à son compagnon de voyage et entraîne Eugénie dehors pour une promenade romantique en forêt. Le jeune homme l'étreint et promet de revenir

bientôt, même si les temps à venir s'annoncent difficiles. Il prend ensuite congé de sa
bien-aimée. Il enfourche son cheval et se
dirige au galop vers Champlain pour retrouver sa famille.

17

Espoirs et trahisons

Gabrielle, heureuse de revoir son fils sain et sauf, l'embrasse sur les deux joues. Pierre s'informe de la mission tout en lui serrant la main. Les jumeaux écoutent le récit, subjugués par les aventures de leur aîné, même s'ils auraient souhaité participer à un événement aussi important. Tous arrêtent de parler et se regardent d'un air surpris quand un visiteur frappe à la porte. Jeanne accourt. La porte s'ouvre sur Sophie Gagnon, la femme de Julien. En pleurs, elle court vers Gabrielle et cache aussitôt son visage sur l'épaule de son hôtesse.

— Est-il arrivé malheur à ton mari ?

— En dépit de toutes nos épreuves, il veut encore partir à la guerre. J'ai tellement peur ! Je n'en peux plus de m'inquiéter pour sa sécurité et pour l'avenir des enfants.

Gabrielle la réconforte et l'amène dans sa chambre, à l'abri des oreilles et des regards de la famille. Pierre jette un œil expressif sur Georges et tous les deux comprennent que l'attaque générale surviendra bientôt. Le père exprime ses appréhensions à son aîné :

— Nelson et Côté ont tout planifié sur papier, mais, en réalité, les patriotes possèdent peu d'armes et tiendront difficilement devant les soldats aguerris de Colborne.

— Nous devons garder foi en notre victoire et, surtout, ne pas oublier la justesse de notre cause ! répond Georges.

— Lorsque Nelson arrivera à Napierville avec les fusils, nous les distribuerons dans les régions où les attendent des milliers de combattants.

— Je viens de leur rendre visite. Les patriotes se battront en vain s'ils n'ont pas de renforts. Le sort du Bas-Canada se jouera autour de Montréal.

Selon Julien, Nelson s'occupe de cet aspect. Ludger Duvernay a aussi recruté deux officiers français : Philippe Trouvay et Charles Hindelang ; ce dernier a déjà servi sous la bannière française, et Côté l'a nommé général de l'armée de résistance.

Georges demande à Pierre s'il a reçu des nouvelles du chef des rebelles du Haut-Canada. Le père répond par la négative et lui confie plutôt ses craintes à l'égard de l'évêque de Montréal.

— Des témoins ont vu Lartigue entrer dans les bureaux de Colborne. Même si personne ne semble surpris, cette révélation crée un certain émoi.

Cette visite chez le « vieux brûlot » les conforte dans leur idée. Ils soupçonnent d'ailleurs fortement le curé Amyot, de Saint-Cyprien-de-Napierville, de tromper ses paroissiens et de comploter avec son supérieur.

— Crois-tu vraiment que certains prêtres trahiront le secret de la confession et fourniront de l'information aux Anglais concernant les activités et les intentions des patriotes ?

— Je voudrais me transformer en petit oiseau pour découvrir les mystères des responsables de l'Église, répond Pierre. À mon avis, Lartigue divulgue des renseignements aux autorités pour prouver sa loyauté à la couronne britannique.

Malgré les préoccupations du moment, Pierre invite Georges et les jumeaux à une partie de chasse, l'activité préférée de ses enfants.

18

Au camp de Napierville

En dépit des supplications de Gabrielle, Pierre décide de participer aux batailles à venir et de rejoindre Julien à Napierville. Georges persuade son père de l'accompagner jusqu'à Lacolle pour consulter Léo Pinsonneault, ce qui lui permettra surtout de revoir Eugénie et de la rassurer sur son sort.

— Vous nous cachez encore la préparation de vos plans, déclare Paul. Je vous rappelle votre promesse de nous impliquer dans les actions des patriotes.

— Le danger me semble trop grand pour vous compromettre, répond Pierre. Mieux vaut oublier votre prétention d'aller au Bas-Canada quand les volontaires patrouillent et cherchent à tout prix à nous éliminer.

— Cette fois, vous irez rouspéter seuls dans votre coin ! déclare Gabrielle, d'un ton ferme. Je tiendrai mon bout.

Furieux, les jumeaux enfilent leur manteau en vitesse et sortent marcher dans la forêt, l'unique endroit où ils peuvent exprimer leurs frustrations et réfléchir à leur guise.

Le deux novembre, le père et le fils Gagnon traversent la frontière avec une extrême prudence. Contre toute attente, les adolescents profitent du branle-bas de combat à la maison pour s'esquiver. Caressés par une brise légère, Jeanne et Paul suivent les traces de leur père et de leur frère dans la neige fraîchement tombée. Pierre se met en colère à l'arrivée des deux jeunes chez les Pinsonneault. Pour le calmer, Anne promet de garder un œil sur eux.

— Revenez les chercher plus tard.

Pierre accepte, mais il songe surtout à la grande inquiétude de sa femme quand elle constatera l'absence des jumeaux.

— À votre âge, je crois qu'il est plus important de fréquenter l'école que de se battre sur les champs de bataille.

Les jumeaux écoutent les remontrances de leur père, mais, pour leur part, Georges et Oscar se demandent si le plan des chefs fonctionnera comme prévu. Le soir venu, enfermés dans la grange en compagnie d'Eugénie, les deux courriers pensent à Chevalier de Lorimier et à François-Xavier Prieur ; ils s'imaginent le résultat des interventions des patriotes pendant le déroulement des événements à Saint-Athanase, à Beauharnois, à Châteauguay, à Saint-Constant et à Saint-Hilaire.

*****

Dans la nuit, des rebelles marchent sur Beauharnois. Sur quatre cents combattants, une centaine d'entre eux possèdent un fusil. Les autres sont armés de fourches, de bâtons et de faux.

— Tous au manoir du seigneur Ellice ! ordonne Prieur. Le neveu de Lord Durham cache des armes.

Après une fusillade en règle, ils capturent les employés et les résidents, dont la femme et la fille du propriétaire. Prieur les rassure :

— Je promets de bien vous traiter.

— Je vous remets une quinzaine de fusils et des munitions en échange de votre protection, propose le maître des lieux.

Le chef accepte. Les patriotes se dispersent ensuite dans le village pour désarmer les bureaucrates et les emprisonner avec la famille du seigneur. Une fois la mission terminée, tous rentrent chez eux. À Lacolle, les jeunes gens s'interrogent sur l'action de leurs amis :

— J'ai hâte de savoir s'ils ont réussi leur coup, dit Oscar.

— Et moi, je m'inquiète pour l'ancien député, Narcisse Cardinal, répond Georges.

*****

Pendant ce temps, à Châteauguay, les insurgés attaquent les riches anglophones, dont le marchant MacDonald. Ils prennent les armes, puis enferment les bureaucrates avec les détenus de Beauharnois. À leur tour, les rebelles de Saint-Constant s'abattent sur l'ennemi.

— Allons à la résidence de Vitty et chez Aaron Walker à La Tortue, ordonne Joseph Robert.

Walker est atteint mortellement lors de la fusillade. Les hommes se dispersent, aussitôt la mission terminée, le temps de recevoir les renforts et les munitions promises.

— Notre plan, celui de nous emparer du traversier de La Prairie, des casernes et du terminus de chemin de fer, tombe à l'eau pour ce soir, conclut Robert avec tristesse, mais nous reviendrons encore plus forts.

La mort dans l'âme, les frères Sanguinet, le capitaine de milice Joseph Robert et ses combattants retournent à Saint-Philippe.

*****

Dans la grange des Pinsonneault, les trois jeunes spéculent sur l'action d'Élisée Malhiot et espèrent qu'elle obtiendra l'effet escompté. Oscar s'interroge sur la suite des événements à Montarville.

— Avec plus de mille patriotes prêts à combattre, ils peuvent réussir.

— Malhiot et ses alliés projettent de se rendre maîtres des forts de Sorel, de Chambly et de Saint-Jean, répond Eugénie. Cette intervention me semble un énorme défi à relever.

À Montarville, l'attente de renforts et de nouvelles armes mine le moral de certains. Plusieurs quittent les lieux et d'autres décident d'aller à Napierville.

Alors que Georges pense à ses cousins de Saint-Athanase, trois cents rebelles envahissent le moulin Meigs pour y trouver des munitions dans l'intention de s'emparer de Christieville et de déloger le seigneur Christie. Encore là, aucune trace des fusils. Même phénomène à Chambly, où huit cents personnes attendent en vain les carabines.

Georges et Oscar se demandent si les patriotes ont reçu des fusils. Une pénurie d'armes pourrait compromettre dangereusement la réussite du plan. Ils restent cependant persuadés que leur mission aura aidé la cause patriote.

*****

Fatigués, les deux amis s'endorment tard dans la nuit. Les pères profitent du sommeil de leurs fils pour s'esquiver et se rendre à Napierville où les chefs y réunissent des combattants pour l'assaut final. Des centaines de partisans, dont le député de l'Acadie, le docteur Octave Côté, parlent de stratégie, s'encouragent et espèrent la venue de milliers de patriotes. Ils passent leur journée à emprisonner les loyalistes et à envoyer des courriers pour informer les Frères Chasseurs des lieux de rassemblements.

Le quatre novembre, Pierre et Léo se trouvent encore au camp lorsque Nelson les rejoint, accompagné de trois cents révoltés.

— Quand les alliés américains arriveront-ils ? demande Léo.

— Ils nous ont peut-être abandonnés, répond Pierre, presque découragé.

Octave Côté va au-devant des visiteurs, sous les hourras des huit cents rebelles déjà sur les lieux, salue le nouveau venu et le présente aux combattants :

— Voici l'homme que nous attendions avec tant d'impatience et de confiance : Robert Nelson, le chef des insurgés et le président de la future république canadienne.

Après la présentation des deux officiers français, Hindelang et Trouvay, Nelson prend la parole.

— Mes amis, je n'ai qu'un mot à dire : merci pour votre accueil. J'espère que je saurai mériter votre confiance ; la tâche que nous entreprenons est difficile, mais elle n'en sera que plus glorieuse. Courage, mes amis, et soyez convaincus qu'avant longtemps, nous aurons libéré notre pays de la tyrannie et conquis sa liberté.

Robert Nelson proclame ensuite l'indépendance de la république du Bas-Canada. Toute la journée, les rebelles affluent à

Napierville, mais, comme Léo, tous se désolent de l'absence des Américains.

— Le président Van Buren a décrété la neutralité des États-Unis, déclare Léo. Les Américains deviennent des hors-la-loi s'ils traversent la frontière.

— Hindelang devra réorganiser son armée, répond Pierre.

— Par chance, des hommes viennent de partout et se rallient à ceux de Napierville pour continuer le combat, mais les nouvelles des autres régions déçoivent de plus en plus les troupes.

— Selon plusieurs sources, de Beauharnois à Montarville, des milliers de patriotes ont dû se disperser, faute de renforts et de munitions.

Deux mille cinq cents combattants rejoignent Nelson, mais, malgré la contrebande des mois précédents entre les États-Unis et la colonie britannique, seulement quelques centaines possèdent une arme. Pierre donne des explications à ce sujet :

— Dans les derniers jours, les militaires américains, les volontaires et les soldats de Colborne ont saisi plusieurs cargaisons et investi des dépôts clandestins.

— Comme en 1837, les hommes devront se battre avec des bâtons, des faux, des couteaux, des épées et des fourches, affirme Léo, déçu.

— Je crains plutôt que les gens ne fuient le camp si les fusils tardent à arriver. Certains sont mécontents.

Sur ces propos peu réjouissants, deux messagers à bout de souffle se présentent devant le docteur Côté.

— L'ennemi organise la résistance, déclare un jeune patriote aux cheveux roux d'à peine vingt ans. Un lieutenant-colonel de Lacolle a alerté son vis-à-vis de Saint-Jean, le commandant Cyril Taylor.

— Pour le moment, ils se contentent de détruire les ponts et de briser les routes, rapporte son compagnon, dont le visage démontre une grande fatigue. Ils surveillent aussi les mouvements de nos troupes.

— Le général Colborne viendra sûrement dans la région, précise Joseph Lamoureux, commandant en chef du groupe de Napierville.

L'état major se réunit et décide de dépêcher des émissaires un peu partout sur le territoire pour informer leurs amis du déploiement des bataillons ennemis.

Action à Châteauguay,
à Beauharnois
et à Lacolle

Au petit matin, Georges et Oscar se préparent à rejoindre les rebelles au camp de Napierville. Les jumeaux se proposent de les accompagner.

— Je vous demande de demeurer à Lacolle pour protéger Eugénie et les enfants de madame Pinsonneault, si jamais ils devaient fuir dans la forêt.

— Les patriotes ont besoin de nous pour vaincre ! lance Paul avec conviction.

— De toute façon, je vous interdis de participer aux batailles.

— Nous devrons secourir les blessés après les affrontements, précise Eugénie.

Déçus de la tournure des événements, Jeanne et Paul entrent dans la grange pour concocter un plan. Toutefois, l'idée d'Eugénie leur plaît. Pour sa part, Anne essaie de dissuader Oscar et Georges de se battre, mais, encore une fois, ses efforts s'avèrent inutiles.

— Je détesterais rester ici à me tourner les pouces, clame le jeune Gagnon.

— Nous vivons un moment historique, reprend Oscar. Nous devons rejoindre les autres hommes et combattre à leurs côtés.

— Je comprends, répond Eugénie. Si tu promets de revenir sain et sauf, tu pourras partir.

Georges sourit et jure d'être prudent ; il embrasse sa douce et la remercie pour sa compréhension. Oscar serre sa mère et sa sœur dans ses bras, saute sur son cheval, et, bien en selle sur leur monture, les deux combattants disparaissent par le sentier. Dès leur arrivée au camp, ils se mettent à la recherche de Pierre et Léo.

— Comme nos chers papas refusaient de nous laisser venir, ils manifesteront sans doute un certain mécontentement de nous savoir dans les parages.

— Nous prenons maintenant nos propres décisions, répond Oscar en lançant un clin d'oeil à son ami. Ils doivent maintenant l'accepter.

Sur les lieux, les deux jeunes messagers reçoivent la mission d'aller chercher des vivres chez le commerçant Antonio Merizzi pour nourrir et approvisionner l'armée en campagne ; l'hôtelier d'origine italienne s'occupe de cuire le pain, d'abattre les animaux et de réquisitionner les provisions dans les fermes environnantes.

La journée passe et les jeunes restent sans nouvelles de leur père. Ils apprennent enfin du docteur Côté que Pierre et Léo effectuent une tournée de reconnaissance sur le terrain et que la patrouille devrait revenir en soirée. Georges et Oscar se promènent parmi la foule et rencontrent plusieurs amis, des cousins comme des voisins. Tous s'impatientent et se demandent quand ils combattront. Les deux compagnons entendent d'ailleurs les commentaires acerbes de plusieurs pendant la nuit. Des hommes discutent ouvertement et se disent insatisfaits des chefs Nelson, Côté et Gagnon. À la fin de la soirée, des mécontents se donnent rendez-vous chez le commandant Joseph Robert.

— Suivons-les, murmure Oscar. J'aimerais connaître leurs petits secrets.

Les jeunes tendent l'oreille derrière la porte.

— Nous devons nous révolter contre nos dirigeants militaires et les livrer aux volontaires ! lance une voix inconnue.

Des échos de protestations arrivent jusqu'à eux. Georges risque un regard furtif par la fenêtre et reconnaît François Bourrassa, qui harangue ses camarades et les encourage à la révolte.

— Colborne a placé le district de Montréal sous la loi martiale ce matin et les arrestations se multiplient après des dénonciations ou de simples soupçons de haute trahison. Agissons avant d'aller en prison !

— Le moment me semble mal choisi, riposte Joseph Robert. L'attaque est imminente et les armes nous parviendront bientôt des États-Unis. Nous devons garder courage et rester unis pour combattre l'ennemi.

Déçus et en colère, les protestataires sortent en coup de vent de la bâtisse. Les jeunes hommes ont à peine le temps de se dissimuler derrière un arbre. Robert suit de près les dissidents et les interpelle :

— Je vous préviens, je passe l'éponge pour cette fois, mais je ne peux tolérer ni la déloyauté ni la délation dans nos rangs.

Après une soirée et une nuit mouvementées, Oscar et Georges dorment d'un sommeil léger. Les deux jeunes hommes se lèvent à l'aube avec l'espoir de rencontrer leur père. Pendant le petit-déjeuner, leurs pensées s'envolent vers leur ami Cardinal ; ils souhaitent que la cueillette de munitions soit une réussite.

*****

En fait, à Châteauguay, Cardinal se dirige vers Caughnawaga, à la tête de soixante-quinze rebelles, dont seulement la moitié possède un fusil. Ils y parviennent au lever du soleil.

— Attendez-nous dans le bois, ordonne Cardinal. Avec quelques compagnons, j'irai discuter avec les Indiens pour obtenir des armes.

Au village, la plupart assistent à la messe au moment où les étrangers se présentent. Après quelques minutes de palabres, une femme surgit au pas de course et sonne l'alerte : elle cherchait sa vache égarée et a vu des inconnus au bord de la forêt.

— Des Blancs nous attaquent, hurle l'Amérindienne. Alerte !

— Un guet-apens ! lance le chef. Aux armes !

Comme les patriotes ont peu de fusils à leur disposition, les guerriers les capturent rapidement ; seuls quelques-uns réussissent à s'enfuir. Désireux de plaire à Colborne, ils décident de les remettre aux autorités.

*****

Oscar et Georges espèrent de tout cœur que la mission du groupe de François-Xavier Prieur se conclura par une victoire. Au même moment, cent cinquante rebelles de Beauharnois arrivent au quai où doit accoster le *Henry Brougham*. Le bateau effectue le service entre Lachine et les Cascades et sert, notamment, à transporter les troupes de la reine Victoria. Prieur donne ses directives :

— Je veux une centaine d'hommes aux abords du débarcadère. Je reste dans le hangar avec les autres.

Une fois le bâtiment amarré, ils en prennent vite possession.

— En avant !

Les attaquants enlèvent des pièces du moteur pour le rendre inutilisable.

— Amenez les passagers et les membres d'équipage au presbytère, ordonne Prieur. Le prêtre les hébergera et les nourrira.

Le chef les rassure :

— Je promets de bien vous traiter et de vous libérer le moment venu. Pour l'instant, notre cher curé prendra soin de tous.

Les patriotes se dirigent ensuite vers Beauharnois pour attendre les ordres où, déjà, six cents combattants s'arment de patience.

*****

Pendant ce temps, une compagnie de cinquante Canadiens, commandée par l'officier Trouvay, part de Napierville pour arpenter le terrain et reconnaître l'endroit. Prêt du pont de Lacolle, à trois cents mètres de la maison des Pinsonneault, les volontaires reçoivent le bataillon à coups de fusil. Eugénie, Jeanne et Paul accourent sur les lieux ; dissimulés dans le boisé, ils regardent le déroulement de la bataille. Les rebelles se dispersent sur la rive de la rivière et ouvrent le feu sur l'ennemi.

— J'aperçois Julien Gagnon et le docteur Côté, murmure Eugénie.

— Les miliciens s'engouffrent dans le moulin Stone Mills, ajoute Jeanne.

Trouvay ordonne l'assaut. Après une heure de combat, les soixante-dix loyaux abandonnent leur abri et s'enfuient en direction d'Odelltown. Les trois témoins rejoignent aussitôt leur père pour se rassurer sur leur état de santé. Anne et deux autres voisines arrivent pour soigner les blessés. Peu après, Léo embrasse sa femme avant de quitter les lieux.

— La troupe doit continuer sa marche et traverser la frontière américaine pour retrouver les recrues au Vermont. Je reviens le plus vite possible.

Retardés par des événements inattendus, les hommes doivent coucher en territoire étranger. Pierre enrage :

— L'état major des États-Unis empêche les combattants de tenir leur promesse. Impossible de compter sur les Américains pour nous aider.

— Avant de retourner à Napierville, les avise Trouvay, une cargaison d'armes nous attend au quai Vitman. Un officier dissident de l'armée américaine nous offre des munitions et des mousquets.

— Le capitaine March a sûrement prévenu le major Schriver de Hemmingford, suppose Léo.

— Nous redoublerons de prudence, répond Trouvay, d'un air songeur.

*****

Au camp de Napierville, Oscar et Georges se rongent d'inquiétude : les pères font partie de l'expédition et les nouvelles arrivent au compte-gouttes depuis quelques jours. Les deux jeunes hommes prennent leurs fusils, enfourchent les chevaux et disparaissent dans la plus grande discrétion. Ils se rendent d'abord chez les Pinsonneault.

— Les patriotes ont franchi la frontière avec le docteur Côté et Trouvay, leur apprend Anne. Pierre et Léo devaient revenir hier soir ou au plus tard ce matin, mais aucun mouvement de troupes n'a été signalé.

Anne se tourmente et marche de long en large dans la maison.

— Allez vous renseigner auprès des gens de Lacolle.

— Je vous accompagne, déclare Paul.

— Moi aussi, ajoute Jeanne. Nous avons assez attendu ici à ne rien faire.

Devant l'insistance des jumeaux, les deux amis acceptent de les emmener. Eugénie et Anne les supplient de rester prudents et, surtout, de garder une bonne distance entre eux et les combattants. Des coups de feu attirent leur attention à leur arrivée à Lacolle ; ils courent dans la forêt pour se rapprocher des lieux. Le sympathisant américain Benjamin Mott tire un boulet de canon sur les volontaires. La bataille s'engage.

— Les patriotes débordent les positions de March, commente Oscar.

— Ah non ! lance Georges, désolé. Le bataillon de Schriver et la compagnie de Weddon viennent à leur secours.

Devant les yeux des jeunes gens, cent soixante-dix rebelles affrontent quatre cents miliciens bien armés et décidés à en finir avec la rébellion. Oscar reconnaît des citoyens de Lacolle parmi les troupes.

— Je rencontre souvent Trevor Van Vliet au village : c'est une personne entraînée et aguerrie.

— Les loyalistes encerclent les nôtres, murmure Oscar.

— Ils vont les massacrer, répond Georges, la voix éteinte et remplie de tristesse. Les patriotes reculent vers la frontière, mais, là-bas, d'autres militaires les attendent de pied ferme. Ils sont cernés de toutes parts.

Les hommes de Philippe Trouvay abandonnent la lutte et le convoi de fusils, avant de se disperser vers les États-Unis et Napierville. Ils laissent huit morts et plusieurs blessés au champ d'honneur.

— Nous devons les sortir de là, déclare Paul.

Oscar acquiesce, mais leur conseille de patienter jusqu'au départ des soldats anglais. Des habitants des environs arrivent sur les lieux une trentaine de minutes plus tard. Ils s'empressent de sortir les corps du bourbier et de soigner les insurgés mal en point. Inquiètes pour leurs fils ou leur mari, des femmes du voisinage les suivent de près. De leur côté, Pierre et Léo trouvent la force de se traîner jusqu'à la forêt où les jeunes les rejoignent. Oscar se montre soucieux pour la suite des événements :

— Le canon, les armes et les munitions sont tombés aux mains des loyalistes ; les rebelles sortent très affaiblis de la bataille.

— La défaite a coupé les communications entre eux et la frontière, déclare Léo. La perte de la cargaison retardera l'approvisionnement des autres régions.

À Napierville, le moral baisse à vue d'œil et certains rentrent chez eux. L'arrivée de deux cents patriotes en provenance de Saint-Constant redonne courage aux deux mille cinq cents hommes. François Nicolas s'adresse à Robert Nelson :

— Seulement trois cents d'entre eux possèdent un fusil, dont certains datent du régime français.

— Les autres portent des couteaux, des fourches, des faux et des bâtons aiguisés ; certains sont munis d'une pointe de fer, remarque le chef. Plusieurs s'interrogent sur l'issue de la bataille.

— Quand les armes nous parviendront-elles ? demande une voix anonyme dans la foule.

— Trouvay reviendra bientôt de Rouse's Point, répond Nelson avec fermeté.

De son côté, François Nicolas semble grandement préoccupé du retard de ses compagnons. Il comprend vite la situation lorsque plusieurs combattants de l'officier Trouvay arrivent au camp mal en point et racontent leur histoire.

Trahison

Nelson s'inquiète de la réaction de ses hommes quand il apprend la défaite de Lacolle. Le chef se confie à Julien Gagnon au matin du huit novembre :

— Ceux qui ne possèdent aucune arme commencent à douter de nos chances de succès.

— Nous avons d'ailleurs perdu une partie de nos effectifs.

Le docteur Octave Côté les rejoint au même moment. Son air préoccupé annonce de mauvaises nouvelles.

— J'ai reçu des rapports de mes agents : les troupes de Colborne occupent La Prairie. Le général a réuni une véritable armée comprenant plusieurs régiments dont les Royaux, les Highlanders, les Hussards et les Dragons de la reine. En plus, quatre cents

Indiens de Caughnawaga se joindront bientôt à eux.

Robert Nelson ordonne à trois cents Frères Chasseurs de marcher sur Lacolle et Odelltown. Parti à dix heures, le bataillon rallie d'autres combattants en chemin. Au total, cinq cents insurgés, divisés en dix compagnies, arrivent à destination vers seize heures. Léo Pinsonneault, Pierre et Julien Gagnon les accompagnent.

— Les volontaires sont dirigés par le commandant Taylor, remarque Pierre. Ils se barricadent dans l'église d'Odelltown.

— Taylor enverra sûrement des messagers prévenir les soldats des environs, dont ceux de Colborne, affirme Julien. Restons sur nos gardes !

Une averse torrentielle s'abat sur Lacolle et force les rebelles à chercher refuge dans la propriété d'un loyaliste occupée par l'ennemi quelques heures auparavant. Pierre et Julien examinent les lieux avec attention :

— Deux espions armés jusqu'aux dents se cachent dans la cave, crie Pierre, son arme pointée sur eux. Ils patientaient dans le noir dans l'espoir de connaître nos secrets.

— Enfermons-les au sous-sol, propose Julien.

Par précaution, Robert Nelson prie Léo et les deux cousins Gagnon de l'accompagner dans une tournée des différents postes de guet.

— Plusieurs rebelles attendent des ordres à la maison de Louis Dupuis, soutient le chef.

En chemin, ils rencontrent le groupe du capitaine Louis Defaillette :

— Je veux me joindre à vous pour l'attaque de demain.

Nelson accepte aussitôt. À la résidence de Louis Dupuis, Pierre et Léo surveillent l'entrée, tandis que Julien et ses hommes continuent à patrouiller dans les environs. Des éclats de voix parviennent à leurs oreilles. Les deux amis se rapprochent pour mieux entendre. Hefferman parle haut et fort et réserve une mauvaise surprise à Robert Nelson.

— Un branle-bas de combat semble se préparer, commente Léo.

— Je propose de capturer Nelson et de le livrer à l'ennemi.

— Trahison ! s'écrit une voix inconnue.

Dupuis et ses compagnons se déclarent peu favorables à une telle action, mais n'osent pas intervenir.

— Chouayen ! s'exclame le président avec dédain.

— Je préfère devenir un traître et rester vivant !

À ces mots, Hefferman et ses complices ligotent Nelson et le placent dans une charrette. Pierre court prévenir Julien, mais rencontre François Nicolas en chemin ; l'homme a reçu la mission de transmettre un message à Nelson. Il se rend aussitôt chez Dupuis pour libérer son chef, mais subit le même sort.

Julien Gagnon se joint aux rebelles du capitaine Trudeau et du colonel Delorme pour sauver Nelson. Le groupe croise le convoi ; les deux prisonniers ont les pieds et les mains liées. Hors de lui, Trudeau s'écrit :

— Qu'alliez-vous faire, bande de fous ?

— Nous les livrons aux troupes loyalistes d'Odelltown, riposte Hefferman.

Les patriotes arrêtent les chouayens, puis retournent à Lacolle. Devant la gravité de la situation, Côté, Gagnon, Nelson et Hindelang élaborent un plan d'attaque et de défense.

— Nous attaquerons Odelltown demain en matinée, confirme le président.

— J'aimerais discuter de la stratégie à adopter, lance Hindelang. L'heure me semble très grave.

— Je vous accorde toute ma confiance, répond le docteur Côté. Je m'en remets à votre initiative.

Pierre entre au même moment et demande à parler à Julien.

— Un messager m'apprend que Colborne s'approche de Napierville. D'après les observations, le général dirige la plus grosse armée britannique levée depuis l'invasion de la Nouvelle-France en 1759. Elle compte plus de sept mille soldats.

Georges, Oscar et son père arrivent à temps pour entendre la réponse de Julien :

— Il m'apparaît urgent d'ouvrir la voie jusqu'à Rouse's Point.

Le patriote Gagnon exige alors un conseil de guerre sur-le-champ.

21

Bataille finale à Lacolle

Le neuf novembre au matin, six cents patriotes quittent Lacolle en direction d'Odelltown. Un peu plus loin, un éclaireur signale la présence de volontaires dans une résidence en bois.

— En avant ! hurle Hindelang. Sortez vos sabres et dirigez-vous au pas de course vers le bâtiment !

Une vingtaine d'ennemis armés sautent par les fenêtres et prennent la poudre d'escampette. Quelques-uns tirent, mais sans atteindre les rebelles.

En entendant les coups de feu, Eugénie et les jumeaux veulent courir jusqu'au village dans le but d'assister de loin à la bataille, mais aussi pour voir leur père et leurs frères. S'ils leur arrivaient un malheur, peut-être pourraient-ils leur porter secours ?

— Vous devriez rester sagement à la maison, leur conseille Anne. Votre vie est trop précieuse pour la gaspiller ! Nous comptons sur la jeunesse pour nous aider à reconstruire le pays après cette guerre. Tout le monde devra retrousser ses manches afin d'y arriver.

— Je surveillerai les enfants et je te ramènerai Oscar et ton mari sains et saufs, répond Eugénie, sourde aux mises en garde de sa mère.

— Tu oublies Georges !

— Je pense à lui jour et nuit, ma chère maman.

Aussitôt, les jeunes gens se précipitent dans la forêt, puis traversent le boisé. Ils retrouvent les combattants, conduits par Robert Nelson, le général Poirier et l'officier Hindelang. Ils les suivent avec prudence jusqu'à Odelltown et, durant cette bataille importante, deviennent les témoins privilégiés de la bravoure des patriotes. Les trois observateurs se dissimulent derrière les cèdres, les yeux grands ouverts, mais le cœur battant. Eugénie retient un cri quand elle voit son bien-aimé se diriger vers l'église méthodiste où trois cents volontaires se sont retranchés. Oscar marche à ses côtés en compagnie de son père.

Les rebelles se préparent à assiéger l'église. La compagnie de Médard Hébert les couvre à partir de la grange en face du temple. Ses hommes tirent sans arrêt pour maintenir la pression.

— Regardez, le groupe d'Hyppolyte Lanctôt prend position derrière la clôture ! lance Eugénie dans un murmure.

Les Gagnon, Pinsonneault, Dozois et plusieurs autres participent à l'action.

— La troupe essaie de tenir une centaine de loyaux du lieutenant-colonel Lewis Odell à l'écart, ajoute la jeune femme. Ils s'approchent du camp !

Hindelang se montre courageux. Au mépris du danger, il encourage ses hommes :

— En avant, mes amis ! Ne craignez rien, les balles ne vous feront pas plus mal qu'à moi.

Malgré les efforts des patriotes pour préserver la grange, des volontaires parviennent à y mettre le feu. Cette diversion permet aux loyalistes d'évacuer l'église. Les trois témoins remarquent la présence d'autres soldats.

Au moins trois cents miliciens d'Hemmingford se rapprochent. Leurs compagnons de Caldwell's Manor ont réussi à se faufiler dans les bois et arrivent en renfort.

Un premier coup de canon résonne :

— Médard Hébert est tombé de son cheval, déclare Jeanne, l'air désolé.

Pour leur part, les insurgés commencent à manquer de munitions, mais poursuivent la bataille avec bravoure.

— Si le combat continue de cette façon, constate Paul, l'ennemi va les encercler.

Aux côtés de l'officier Hindelang, Pierre et Léo entendent l'ordre de retraite vers Lacolle. Robert Nelson et plusieurs autres fuient en direction de la frontière. Au cours de la bataille, les patriotes ont perdu douze hommes et au moins une vingtaine de combattants ont été blessés. De leur côté, les Britanniques comptent huit morts et quinze blessés.

En fuite, Oscar se prépare à franchir un fossé quand une balle l'atteint à l'épaule. Le jeune Pinsonneault tourne sur lui-même, puis roule dans la neige et les branchages. Toujours sur ses talons, Georges se dépêche pour lui venir en aide. Il cherche son père des yeux, mais la course chaotique des combattants pour sauver leur vie l'empêche de le voir. Même Léo Pinsonneault semble avoir disparu de la surface de la Terre. Une terrible inquiétude s'empare de Georges. Un cri de détresse le ramène à la réalité ; il se précipite au secours de son compagnon d'armes.

— Garde courage, mon ami. Je promets de te sortir de ce mauvais pas.

— J'ai confiance, murmure Oscar.

Georges réussit à le traîner sur une bonne distance, mais, juste avant d'atteindre le boisé, une balle égarée le frappe au bras. Les jeunes rebelles roulent dans le fossé au milieu des lamentations de leurs camarades, des coups de fusil et des ordres des officiers. Pour éviter de se retrouver prisonniers, les deux blessés se cachent dans la neige et les hautes herbes et attendent le départ des troupes ennemies. Lorsque les vainqueurs s'occupent des soldats tombés au champ d'honneur, ils les oublient au fond de leur refuge blanc.

Une fois le calme revenu, Paul, Jeanne et Eugénie entrent alors en jeu. Ils ont perdu la trace de leur père, mais connaissent plus ou moins la position de leurs frères ; ils les découvrent après plusieurs minutes de recherche, serrés l'un contre l'autre, grelottants de froid et incapables de se hisser hors de leur fosse. La jeune femme déchire son jupon pour confectionner des pansements provisoires et arrêter les saignements des blessés. De force et de misère, les secouristes improvisés sortent Oscar et Georges de leur cachette et les conduisent dans les bois, à l'abri des actions hostiles des volontaires. La souffrance se devine sur les visages des deux jeunes hommes, qui s'efforcent néanmoins de garder le silence afin de ne pas traumatiser leurs sauveurs. Eugénie embrasse tendrement son bien-aimé.

— Je t'aime, mon amour.

— Je t'adore aussi.

— Et moi, alors ! parvient à dire Oscar.

— Tu resteras mon héros à jamais. J'ai eu tellement peur aujourd'hui.

Les jumeaux se regardent du coin de l'œil et se demandent pour quelle raison les adultes ressentent toujours le besoin de révéler ainsi leurs sentiments.

— Nous devons partir, lance Paul pour les prévenir du danger. Les loyalistes recherchent sûrement les patriotes pour les emprisonner.

Malgré leurs blessures, les deux braves réussissent à marcher, soutenus par leurs proches. Georges propose de se rendre à

Rouse's Point, où ils dormiront en sécurité, et non à la ferme des Pinsonneault. Mais déjà, les collaborateurs de Colborne patrouillent dans les environs et parcourent les lieux pour s'emparer du plus grand nombre d'opposants possible. Les fuyards s'esquivent dans les bois pour échapper aux patrouilles. À dix minutes à pieds de l'État de New York, ils aperçoivent des miliciens qui conduisent un groupe de prisonniers vers Lacolle.

Ils reconnaissent Pierre-Rémi Narbonne, Amable Daunais, Jean-Baptiste Dozois, François Trépanier et plusieurs autres. Les cinq jeunes gens tombent alors sur Médard Hébert ; les deux pieds gelés, l'homme semble dans une condition lamentable. Les six malheureux se traînent jusqu'à Rouse's Point, où des sympathisants américains les conduisent tout de suite chez le docteur Davignon.

À l'abri, dans la maison chaude et chaleureuse, Eugénie et les jumeaux voient arriver Pierre et Léo en compagnie de Charles et de Jérôme, les garçons d'Odile. Julien Gagnon surgit quelques minutes plus tard. Tous explosent de joie. Les pères ressentent un immense bonheur et pleurent d'émotion de retrouver leurs enfants sains et saufs.

— Comment vous remercier ?

— Nous avons déjà reçu notre récompense, répond Jeanne. Vous savoir en bonne santé nous suffit amplement.

— La guerre est terminée pour nous, déclare Pierre.

— La vengeance de Colborne et des loyalistes vient de commencer, affirme Julien.

Georges et Oscar, étendu sur le sol, discutent de leur ami, Chevalier de Lorimier, qui ignore encore la défaite finale d'Odelltown ; Georges s'inquiète pour la vie du notaire. D'après un messager rencontré chez le docteur Davignon, son groupe poursuit la bataille.

*****

Au même moment, au camp Baker de Sainte-Martine, les rebelles ont réclamé des renforts à leurs camarades de Beauharnois. À la tête de cinq cents révoltés, Chevalier de Lorimier et François-Xavier Prieur accourent pour affronter l'ennemi. Ce dernier s'écrie :

— En avant !

— Pour l'indépendance ! clame de Lorimier.

Les combattants courent et ouvrent le feu sur les militaires qui répliquent sans délai. Les insurgés continuent de tirer et atteignent les miliciens. Cette offensive inattendue provoque plusieurs morts chez les belligérants.

— Les Britanniques se dispersent ! claironne Prieur, le visage réjoui.

— Victoire ! hurlent les hommes, heureux d'infliger une défaite cinglante à l'armée.

Le commandant James Périgo signifie sa présence pour la première fois :

— Halte ! Arrêtez la poursuite.

— Les gens espéraient votre venue plus tôt, lui reproche Prieur.

Pour sa part, Chevalier de Lorimier se montre furieux de la directive de Périgo.

— Votre devoir consiste à encourager les nôtres et à les accompagner. Vous agissez comme un espion de Colborne !

Silencieux, Périgo se retire ; entretemps, les soldats parviennent à sauver leur vie. Un courrier saute de son cheval et demande à parler aux responsables.

— Nous devons vite retourner à Beauharnois. Deux cent cinquante patriotes nous attendent, prêts à combattre les loyalistes, annonce Prieur.

— Un millier de militaires en provenance de Glengarry, dans le Haut-Canada, viennent de traverser à Rivière-Beaudette et s'apprêtent à nous attaquer, poursuit Chevalier de Lorimier.

— Apportez les canons de bois, propose le capitaine Roy. Nous nous installerons sur la route de Saint-Timothée pour leur tendre une embuscade.

Les insurgés patientent jusqu'à la nuit, mais des messagers leur rapportent que la troupe possède des armes très puissantes. De plus, les nouvelles de Napierville en découragent plusieurs.

— C'est la fin ! s'écrie le chef, quand il apprend la défaite d'Odelltown.

— Je vous demande de vous disperser et de rentrer chez vous, ajoute Prieur.

Plusieurs rebelles gagnent la frontière, mais beaucoup tombent aux mains des volontaires d'Hemmingford, d'Hinchinbrook et de Godmanchester. Le régiment de Glengarry entre dans Beauharnois et Saint-Timothée sans combattre.

— Vive la reine ! hurlent les soldats.

Frustrés d'avoir raté la bataille, les militaires pillent, saccagent et incendient les demeures. Dans leur élan, ils mettent le feu chez leurs propres partisans.

*****

Pendant que se joue le sort de la région de Beauharnois, les derniers insurgés quittent le camp de Napierville et enflamment l'entrepôt de munitions pour empêcher l'ennemi de s'emparer des armes. Présent sur les lieux, le forgeron Demers aperçoit le curé Amyot et le loyaliste Odell qui accourent à la prison pour libérer les bureaucrates. Peu après, l'armée de Colborne envahit Napierville, déserté par la population ; les hommes du général embrasent le village.

— La chasse aux patriotes va enfin commencer, déclare Odell, heureux de la victoire britannique.

Quand Charles et Jérôme apprennent l'incendie de Saint-Athanase et l'attaque des soldats, quelques jours auparavant, ils s'inquiètent pour leur mère. Les trois cousins traversent la frontière à cheval, malgré le danger, pour secourir Odile. Georges, remis de ses blessures, les accompagne dans leur course folle. Les trois cavaliers la retrouvent chez elle, bien vivante, mais tremblante de peur. En larmes, la mère de famille raconte que des volontaires ont saccagé plusieurs maisons et pillé les commerces, dont ceux du marchand Charles Mongeau, de l'aubergiste François Macé et du boucher Jean-Baptiste Arcand.

— Des miliciens de Glengarry ont même enlevé deux femmes, précise Odile. De plus, malgré des promesses faites au curé, ces bandits ont investi l'église de Saint-Athanase. Des militaires en ont retiré tout ce qu'ils ont trouvé de précieux ; ils ont renversé les hosties sur le plancher et les ont percées à coups de baïonnettes.

— Tout est terminé, maman, affirme Charles en l'entourant de ses bras.

Le onze novembre, à la porte des lieux de culte de la région, les loyalistes attendent la fin de la messe et arrêtent les hommes aperçus sur le champ de bataille ou au camp de Napierville.

22

La chasse au patriotes

La traque des rebelles se poursuit de plus belle ; plus d'un millier de patriotes se retrouvent à la prison du Pied-du-Courant. Des centaines d'autres, en revanche, poursuivis par les volontaires, fuient aux États-Unis où le docteur Davignon les accueille et les soigne. Les mauvaises nouvelles arrivent aux oreilles des réfugiés.

— Les loyalistes mettent le feu partout, précise un exilé démuni. Ils ont brûlé toutes les maisons depuis l'Acadie jusqu'à Napierville.

Plusieurs apportent des journaux pour les montrer à leur famille à Champlain. Dans le *Montreal Herald* du douze novembre, on peut lire : « Dans la journée d'hier, l'on vit des nuées de fumée dans la direction de Châteauguay. Au cours de la nuit, une lueur considérable, qu'on suppose être l'incendie de Saint-Athanase, éclairait le ciel dans la direction de Saint-Jean. »

À Lacolle, à Napierville et à Saint-Valentin, la fumée enveloppe les villages. Adam Thom, dans le *Montreal Herald* du treize novembre, précise : « Dimanche soir, tout le paysage en arrière de La Prairie présentait l'affreux spectacle d'une vaste nappe de flammes livides et l'on rapporte que pas une seule maison rebelle n'a été laissée debout. Le châtiment infligé a été très sévère, mais ce n'est pas assez. Il faut que la suprématie des lois soit maintenue, inviolable, que l'intégrité de l'Empire soit respectée, et que la paix et la prospérité soient assurées aux Anglais, même aux dépens de la nation canadienne entière. Pour avoir la tranquillité, il faut que nous fassions la solitude ; balayons les Canadiens de la surface de la Terre. »

— Colborne va devoir agir, affirme Davignon. Il a contribué à armer les bureaucrates, et, maintenant, ces fanatiques menacent de se faire justice eux-mêmes. Des têtes vont tomber.

Le vingt-huit novembre 1838, le « vieux brûlot » met sur pied une cour martiale pour juger les prisonniers. Trois semaines plus tard, les juges prononcent des sentences de mort par pendaison contre Narcisse Cardinal et Joseph Duquette. Le journaliste Thom déclare : « Je me réjouis à l'avance de voir des Canadiens se balancer au bout d'une corde. »

De leur côté, les Amérindiens présentent une pétition à Colborne dans laquelle ils le supplient d'épargner les condamnés. L'avocat Thomas Drummond intervient à son tour et demande la clémence du gouverneur.

La foule se presse devant le gibet, et, parmi eux, se trouve le journaliste du *Montreal Herald*. Georges note dans un carnet : « Vingt et un décembre, neuf heures : les deux condamnés montent sur l'échafaud. Eugénie Cardinal, enceinte, assiste à la pendaison de son mari à genoux dans la neige avec ses quatre enfants. Le bourreau s'y prend à deux fois pour pendre Joseph Duquette. » Oscar et Georges ferment les yeux lorsque la trappe s'ouvre : les jeunes hommes pensent à la mère et aux sœurs du garçon. Ils méprisent la justice militaire et se jurent d'être présents quand un patriote périra pour avoir défendu ses idées de liberté.

La répression

Les allers-retours entre Montréal, Lacolle et Champlain, pour suivre les délibérations, occupent Georges et Oscar de façon quasi permanente. Le jeune Pinsonneault profite de ses séjours en ville pour passer du temps avec Marie, la jolie rousse rencontrée à Châteauguay.

— Les procédures de la cour martiale se déroulent en anglais, lance Georges avec une certaine frustration dans la voix.

— En plus, la majorité des accusés ne comprennent pas cette langue, répond son ami. La justice militaire reste implacable.

Le dix-huit janvier 1839, cinq autres condamnés montent sur l'échafaud, soit Joseph Robert, François-Xavier Hamelin, Pierre-Théophile Decoigne, les frères Ambroise et Charles Sanguinet. Par amitié et par compassion envers la nombreuse famille de Joseph Robert, Georges et Oscar assistent aux funérailles du patriote pendu devant la prison du Pied-du-Courant : celui-ci laisse dans le deuil une femme, cinq enfants, vingt-huit frères et sœurs et cent quarante-six neveux et nièces. Pierre bout de colère quand son fils aîné lui apporte le journal *Morning Courrier,* lequel précise que le sang doit continuer à couler. Il lit l'article : « Les ministères de Sa Majesté ont-ils deux codes d'instruction, l'un pour le gouvernement d'une colonie peuplée par ses propres descendants et un autre pour une province habitée par les fils dégénérés de la France ? Le sang de ces traîtres fran çais répandu sur un échafaud dont les vies sont justement sacrifiées aux lois violées de l'Angleterre a-t-il un effet plus calmant sur la conscience d'un administrateur que le sang des braves volontaires qui sont tombés à Odelltown et à Lacolle ? »

Malgré une défense solide, les juges condamnent Chevalier de Lorimier et neuf de ses camarades à mort. Prieur raconte à Georges la dernière soirée des condamnés, le quatorze février 1839 :

— Après avoir embrassé sa femme pour la dernière fois, de Lorimier a rédigé une lettre dans laquelle il a écrit que ses efforts ont toujours porté vers l'indépendance de son pays. Je me tenais à ses côtés et j'ai éclaté en sanglots. Assis près de son ami, Charles Hindelang couchait son ultime conseil aux Canadiens sur papier. Je l'ai appris par cœur : « Liberté, liberté ! Réveille-toi donc Canadien. N'entends-tu pas la voix de tes frères qui t'appelle ? Cette voix sort du tombeau ; elle ne te demande pas vengeance, mais elle te crie d'être libre. Il suffit de vouloir. »

Le quinze février, à neuf heures, les cinq condamnés, mains liées derrière le dos, montent sur l'échafaud. Oscar et Georges attendent au premier rang avec l'espoir d'envoyer un signe d'amitié aux patriotes. Charles Hindelang passe le premier et transmet ses sentiments à la foule :

— La cause pour laquelle je me sacrifie est noble et grande. J'en suis fier et ne crains pas la mort. Le sang versé sera lavé par le sang : que la responsabilité en retombe sur ceux qui le méritent. Canadiens, mon dernier adieu est ce vieux cri de la France « Vive la liberté ! Vive la liberté ! Vive la liberté ! ».

Arrive ensuite François Nicolas, dont la dignité et le sang-froid forcent l'admiration de ses ennemis. Il déclare :

— Je ne regrette qu'une chose : c'est de mourir avant d'avoir vu mon pays libre, mais la providence finira par en avoir pitié, car il n'y a pas un pays plus mal gouverné dans le monde.

Oscar et Georges, le regard triste, voient leurs amis périr sur le gibet. Ils restent calmes, mais des larmes coulent sur leurs joues. Silencieux, après le décès de leurs compagnons, tous deux se promènent longuement dans les rues de Montréal pour reprendre leurs esprits. Le lendemain, le journal *L'Aurore des Canadas* rapporte la scène d'exécution : « La mort fut à peu près instantanée chez Hindelang et Nicolas ; de Lorimier et Daunais parurent souffrir peu de temps. Mais les souffrances de Narbonne furent longues et horribles : dans les convulsions de l'agonie, il détacha sa main avec laquelle il saisissait les objets environnants et arriva à déplacer la corde de sa vraie position. Il parvint même à atteindre une balustrade voisine et à s'y placer les pieds et deux fois il en fut repoussé. »

Les lecteurs apprennent aussi que vingt patriotes anglophones sont passés par la potence dans le Haut-Canada. Installés chez monsieur Chouinard, à Montréal, Georges et Oscar connaissent toutes les nouvelles et toutes les rumeurs. Le jour des funérailles de Chevalier de Lorimier, le notaire remet une enveloppe au jeune Gagnon.

— Chevalier voulait vous léguer un peu d'espoir. J'ai recopié cette note à sa demande.

Georges remercie l'homme et enfouit la lettre dans sa poche. De retour à la maison, il la lit à voix haute à sa bien-aimée et à Oscar, la plie avec soin, puis se jette dans les bras d'Eugénie. Il repense aux événements des dernières années et, submergé par un flot d'émotions, éclate en sanglots. Incapable de soutenir la peine de son compagnon, Oscar passe la journée dans les bois pour cacher son chagrin.

En juin 1839, Georges et Oscar retournent à Montréal pour vérifier une importante rumeur.

— D'après les prisonniers, rapportent les garçons, ils déporteront les condamnés à mort au lieu de les exécuter.

La nouvelle se répand : la joie mêlée à l'inquiétude atteint les familles et les amis des détenus. De leur côté, les autorités restent muettes ; en Europe, l'opinion publique anglaise a forcé le gouvernement britannique à mettre un terme à la vengeance de Colborne.

Toujours logés chez le notaire Chouinard, les deux messagers deviennent des habitués du palais de justice et suivent les plaidoyers avec une attention particulière. Un autre procès fait les manchettes et soulève les passions : celui du capitaine François Jalbert, accusé du meurtre du lieutenant George Weir. Pierre a rencontré François à la bataille de Saint-Denis et s'intéresse aux débats ; mais comme il est interdit de séjour au Bas-Canada, il y envoie son fils.

— Tu me raconteras le déroulement des audiences à ton retour.

L'affaire débute le trois septembre 1839 devant les juges Rolland, Pyke et Gale : le jury se compose de huit Canadiens et de quatre Britanniques. Le procureur Ogden présente un survol des événements :

— Georges Weir, porteur d'une dépêche pour le commandant de la garnison de Sorel, a trouvé la mort près de Saint-Denis. Une patrouille rebelle l'a intercepté et l'a conduit à Wolfred Nelson.

Georges connaît le reste de l'histoire : habillé en civil, l'officier se croyait en sécurité, mais le député Ovide Perreault l'a reconnu. Aussitôt arrêté, Nelson a confié Weir à un groupe de patriotes avec l'ordre de l'amener à Saint-Charles. Ogden continue à parler :

— Lors d'une tentative d'évasion, les trois gardiens l'ont abattu et enterré sous un tas de pierres au bord de la rivière Richelieu. Louis Lussier, accusé lui aussi, s'est évadé de la prison au début de l'été pour s'enfuir aux États-Unis et rejoindre les deux autres prévenus, Pratte et Maillet. Jalbert reste le seul suspect.

Les témoins défilent à la barre :

— J'ai vu Jean-Baptiste Maillet frapper Weir avec une ancienne épée française.

— Joseph Pratte l'a transpercé avec un long sabre de dragon.

— Louis Lussier a sorti un pistolet et l'a visé en pleine poitrine, répond une femme à la question du procureur général Ogden.

— François Jalbert est arrivé sur les lieux après la mort du lieutenant George Weir, répètent les témoins les uns après les autres.

— La participation de Jalbert n'a pu être prouvée, précise l'avocat de la défense, Mondelet, dans son plaidoyer. L'accusation est mal fondée et celle de haute trahison me semble plus logique.

— Je demande la pendaison, crie Ogden devant des bureaucrates présents en grand nombre dans la salle d'audience.

Tous jubilent et espèrent que Jalbert sera condamné. Les douze hommes délibèrent en vain. Un juré déclare enfin aux juges :

— Sur douze personnes, deux croient le prisonnier coupable et dix optent pour l'acquittement.

Georges écrit : « Dix septembre, la tension monte au tribunal dans l'attente du jugement ; les articles sont virulents dans les journaux anglophones de Montréal. Un juré annonce le maintien de leur décision. Le magistrat Rolland congédie le jury à minuit juste, libère le prévenu et quitte les lieux. Les Anglais refusent d'accepter le résultat et administrent une raclée en règle aux dix jurés favorables à Jalbert. »

— Protégez-les, hurle Oscar.

Les connétables et les policiers interviennent jusqu'à l'arrivée des grenadiers-gardes. Les coups et les projectiles fusent de partout. Le geôlier et son adjoint, pistolet à la main, menacent les émeutiers :

— Je tire sur le premier qui s'approche.

— En arrière !

Pendant que les soldats escortent les jurés à leur domicile, les loyaux portent en triomphe sur leurs épaules, dans les rues de Montréal, les deux hommes en faveur de la pendaison. Le lendemain, le journal *Montreal Gazette* commente le système judiciaire : « Voilà une nouvelle preuve de l'extrême danger, de la grande folie et de l'absurde politique de confier le procès par jury, ce palladium de la liberté anglaise, à des individus qui n'apprécient pas la valeur de ce bienfait et qui ne possèdent pas l'intelligence nécessaire pour exercer les fonctions d'hommes libres. »

Georges et Oscar regagnent vite Lacolle pour embrasser Eugénie, puis continuent le voyage jusqu'en Nouvelle-Angleterre. Pierre se dit heureux de la libération du capitaine Jalbert, mais s'interroge quand Georges lui raconte les faits et lui lit l'article du journal :

— Le mépris des bureaucrates cessera-t-il un jour ? Ils nous prennent encore pour des hommes des cavernes.

— Plus rien ne me surprend de leur part.

Georges hausse les épaules en signe d'impuissance.

Une rumeur se confirme le vingt-cinq septembre et attire l'attention de tous : cinquante-huit condamnés à mort voient leur peine commuée en sentence de déportation en Australie. Oscar et Georges retournent à Montréal au galop afin de rendre visite à monsieur Prieur ; ils vont aux nouvelles et se promènent parmi la foule. Le lendemain, parents et amis envahissent la prison pour un dernier adieu.

— Compte tenu de l'empressement des autorités, précise Oscar, des familles arriveront en retard pour saluer les exilés avant le départ.

Georges noircit son carnet : « Les femmes et les enfants jettent des cris, des larmes et des hurlements à travers les rangs des soldats. Les militaires répriment tous les débordements vers les proscrits. Les déportés sont escortés par la cavalerie, vers le Pied-du-Courant où mouille le bateau. »

François-Xavier Prieur se retrouve seul au matin du vingt-six septembre pour monter à bord du *British America*. Il craint une vengeance féroce contre son peuple de la part des conquérants. Oscar et Georges se souviennent de ses paroles et le voient partir, mais ne peuvent lui dire de garder courage.

24

Le sort des patriotes

La chasse aux patriotes se prolonge pendant un an ; les volontaires, inlassables, ratissent quotidiennement les campagnes. Les pères, incapables de quitter leur famille et de se rendre aux États-Unis, se servent de leur imagination. Certains creusent des trous dans le sous-sol, d'autres construisent des abris secrets dans les bâtiments de ferme, les greniers ou les cabanes à sucre. Travailleurs infatigables, Georges et Oscar aident les gens des alentours à bâtir des refuges sûrs et jurent de garder le secret absolu.

Compte tenu des événements, Pierre et Julien restent sagement aux États-Unis, sauf pour la guérilla. Si la plupart de leurs compagnons d'exil se disent prêts à se soumettre afin de retourner au Canada, d'autres veulent continuer la lutte.

Pour venger leurs compatriotes morts sur le gibet, les patriotes décident eux aussi de frapper fort chez les anglophones. Même si l'enthousiasme a laissé la place à l'amertume depuis la bataille d'Odelltown, Pierre et Léo participent à plusieurs actes de harcèlement. Le groupe d'une vingtaine d'exilés choisit d'abord la maison d'Abraham Vosburg, un riche cultivateur de Caldwell's Manor, dont le fils s'est porté volontaire pour les combattre.

— Vous connaîtrez le même sort que nos familles ! clame un rebelle.

— Soyez indulgents, supplie une femme en pleurs.

— Nous vous détruirons jusqu'au dernier.

— Dix Anglais périront pour chaque Canadien pendu à Montréal, reprend un autre patriote masqué.

— Nous avons perdu tous nos biens à cause des ravages de vos semblables, ajoute le chef. À votre tour de souffrir.

— Préparez-vous au pillage, au saccage et au feu.

Les patriotes se rendent aussi à la résidence du bureaucrate John Gibson pour y incendier sa ferme, puis chez Garret Landing et John Brisbane à Odelltown. Postés dans les villages américains d'Alburg, de Champlain, de Swanton et dans plusieurs autres, les Canadiens français frappent de tous les côtés. Après la convention des réfugiés patriotes à Corbeau, convoquée par Étienne Chartier, l'ancien curé de Saint-Benoît, le mouvement s'éteint lentement.

— Le peuple a déjà payé cher sa lutte pour la liberté et la justice, lâche Pierre, avant de quitter les lieux.

De son côté, Julien manque d'enthousiasme et approuve les paroles de son cousin. Il doit maintenant penser à sa famille, trop longtemps négligée. Pour leur part, les autorités s'organisent : en juin 1839, pour contrer toute nouvelle tentative révolutionnaire, l'armée a commencé la construction d'un important complexe militaire à Saint-Jean. Les exilés apprennent la nouvelle avec une certaine nostalgie ; pour plusieurs, le rêve d'un pays semble bel et bien mort.

Le dix-neuf février 1841, pour faire suite au rapport Durham, la reine Victoria sanctionne l'Acte d'union qui réunit le Bas et le Haut-Canada. Pierre rage, mais il sait que les perdants ont toujours tort. Il lit, à voix haute, une lettre reçue du notaire Chouinard : « L'Acte d'union établit un seul et unique parlement, bannit la langue française dans tous les organismes gouvernementaux, y compris à la Chambre des communes, et dissout les institutions canadiennes-françaises ayant juridiction en matière d'éducation et de droit civil. Le Bas-Canada doit éponger l'énorme dette du Haut-Canada. »

— Il s'agit d'une autre tentative d'assimilation, constate Gabrielle.

— Durham est mort et ignorera le résultat de son travail.

— L'évêque Lartigue et lui doivent bien s'entendre là-haut.

— Il ne verra jamais l'œuvre de son ami Colborne ni les conséquences de sa trahison, ajoute son mari. À propos, j'aime beaucoup le nouveau surnom du général.

— Malgré toutes ses misères, les Canadiens ont conservé leur sens de l'humour, répond Gabrielle avec le sourire.

Nommé au Conseil privé pour les grands services rendus à l'Angleterre, le « vieux brûlot » a reçu le titre de Lord Seaton ; les gens l'appellent désormais Lord Satan.

Épilogue

Le quotidien de la famille Gagnon reprend lentement son cours. Sans oublier leurs amis de Napierville, les jumeaux étudient à l'école de Champlain. Ils pensent d'ailleurs retourner sur la terre de leurs parents pour la défricher et construire une nouvelle maison. Le forgeron Demers, Georges et Oscar ont promis de les aider.

Leur mère, Gabrielle, travaille fort dans sa petite pâtisserie et vend ses produits à ses concitoyens. Quant à Pierre, il gagne un peu d'argent comme manœuvre, non sans rêver à sa ferme. Il réitère la promesse faite à sa femme :

— Si jamais le gouvernement accorde une amnistie générale aux patriotes, je vous ramènerai au bercail.

— J'ai de la difficulté à le croire, répond Gabrielle. Mais je te suivrai au bout du monde, s'il le faut.

Pierre s'approche, prend Gabrielle dans ses bras et l'embrasse.

— Je refuse de finir en exilé comme mon cousin Julien. Ses derniers mots, « Je meurs pour ma patrie, qu'elle soit heureuse », m'ont grandement touché. Les autorités m'interdisent de me rendre au Canada pour son enterrement et vont sûrement surveiller Saint-Valentin. Selon ses ultimes volontés, il sera vêtu de sa tuque bleue et de son habit d'étoffe du pays.

Georges, Eugénie et Oscar assistent aux funérailles de Julien, mort le sept janvier 1842 à Corbeau, dans l'État de New York. Ils écoutent les commentaires d'un compagnon d'armes en compagnie de plusieurs centaines de personnes venues de partout pour lui rendre hommage :

— Julien était un homme remarquable, intrépide et héroïque. Ce chef populaire, cet homme de cœur, a élevé ses convictions nationalistes à leur paroxysme. Il a donné tout ce qu'il possédait et tout ce qu'il était à son pays et à son peuple qu'il aimait tant.

Les jeunes gens quittent le village pour se diriger vers la maison du forgeron David Demers à Napierville, où vit Georges. Depuis la fin de la rébellion, lui et Oscar y œuvrent comme apprentis et projettent de s'associer après leur période d'apprentissage : les deux amis économisent pour ouvrir leur propre forge à Lacolle.

Eugénie et Georges se fréquentent avec assiduité et pensent se marier en juin afin de fonder une famille. De son côté, Oscar courtise Marie depuis un an ; sans nouvelle de son père ni de son frère depuis leur exil forcé, la rousse de Châteauguay désire maintenant s'installer à Lacolle avec sa mère.

Dans les moments de morosité, les deux hommes pensent souvent aux événements de 1837 et 1838. Quand Georges y réfléchit trop, il se réfugie dans les bras d'Eugénie, la seule personne capable de lui faire oublier qu'il ne connaîtra jamais la liberté.

Le jour de leur mariage, l'heureux couple ouvre les cadeaux avant les danses carrées et le gâteau de noces. Une tante éloignée leur offre alors un oiseau dans une cage ; d'abord surpris, les nouveaux mariés l'amènent dans leur chambre.

Sept jours plus tard, en compagnie d'Oscar et des jumeaux, Georges ressort la lettre reçue du notaire Chouinard un jour de funérailles. La tête reposée, moins émotif que lors de la première lecture, le jeune homme relit le testament politique de Chevalier de Lorimier, écrit la veille de sa mort après un repas donné en l'honneur des condamnés.

Prison de Montréal
Quatorze février 1839
Onze heures du soir

Le public, et mes amis en particulier, attendent, peut-être, une déclaration sincère de mes sentiments ; à l'heure fatale qui doit nous séparer de la terre, les opinions sont toujours regardées et reçues avec plus d'impartialité.

L'homme chrétien se dépouille en ce moment du voile qui a obscurci beaucoup de ses actions, pour se laisser voir en plein jour ; l'intérêt et les passions expirent avec sa dépouille mortelle. Pour ma part, à la veille de rendre mon esprit à son créateur, je désire faire connaître ce que je ressens et ce que je pense.

Je ne prendrais pas ce parti si je ne craignais pas qu'on représentât mes sentiments sous un faux jour ; on sait que le mort ne parle plus et la même raison d'état qui me fait expier sur l'échafaud ma conduite politique pourrait bien forger des contes à mon sujet. J'ai le temps et le désir de prévenir de telles fabrications et je le fais d'une manière vraie et solennelle à mon heure dernière, non pas sur l'échafaud, environné d'une foule stupide et insatiable de sang, mais dans le silence et les réflexions du cachot.

Je meurs sans remords, je ne désirais que le bien de mon pays dans l'insurrection et l'indépendance, mes vues et mes actions étaient sincères et n'ont été entachés d'aucuns des crimes qui déshonorent l'humanité et qui ne sont que trop communs dans l'effervescence de passions déchaînées. Depuis 17 à 18 ans, j'ai pris une part active dans presque tous les mouvements populaires, et toujours avec conviction et sincérité. Mes efforts ont été pour l'indépendance de mes compatriotes ; nous avons été malheureux jusqu'à ce jour.

La mort a déjà décimé plusieurs de nos collaborateurs. Beaucoup gémissent dans les fers, un plus grand nombre sur la terre d'exil, avec leurs propriétés détruites, leurs familles abandonnées sans ressources aux rigueurs d'un hiver canadien. Malgré tant d'infortune, mon cœur entretient encore du courage et des espérances pour l'avenir, mes amis et mes enfants verront de meilleurs jours, ils seront libres, un pressentiment certain, ma conscience tranquille me l'assure. Voilà ce qui me remplit de joie, quand tout est désolation et douleur autour de moi.

232

Les plaies de mon pays se cicatriseront après les malheurs de l'anarchie et d'une révolution sanglante. Le paisible Canadien verra renaître le bonheur et la liberté sur le Saint-Laurent ; tout concourt à ce but, les exécutions mêmes, le sang et les larmes versées sur l'autel de la liberté arrosent aujourd'hui les racines de l'arbre qui fera flotter le drapeau marqué des deux étoiles des Canadas.

Je laisse des enfants qui n'ont pour héritage que le souvenir de mes malheurs. Pauvres orphelins, c'est vous que je plains, c'est vous que la main sanglante et arbitraire de la loi martiale frappe par ma mort. Vous n'aurez pas connu les douceurs et les avantages d'embrasser votre père aux jours d'allégresse, aux jours de fête !

Quand votre raison vous permettra de réfléchir, vous verrez votre père qui a expié sur le gibet des actions qui ont immortalisé d'autres hommes plus heureux. Le crime de votre père est dans « l'irréussite », si le succès eût accompagné ses tentatives, on eut honoré ses actions d'une mention honorable. « Le crime et non pas l'échafaud fait la honte. » Des hommes, d'un mérite supérieur au mien, m'ont battu la triste voie qui me reste à parcourir de la prison obscure au gibet.

Pauvres enfants ! Vous n'aurez plus qu'une mère tendre et désolée pour soutien ; si ma mort et mes sacrifices vous réduisent à l'indigence, demandez quelquefois en mon nom, je ne fus jamais insensible aux malheurs de mes semblables.

Quant à vous, mes compatriotes, mon exécution et celle de mes compagnons d'échafaud vous seront utiles. Puissent-elles vous démontrer ce que vous devez attendre du gouvernement anglais !...

Je n'ai plus que quelques heures à vivre, j'ai voulu partager ce temps entre mes devoirs religieux et ceux dus à mes compatriotes ; pour eux je meurs sur le gibet de la mort infâme du meurtrier, pour eux je me sépare de mes jeunes enfants et de mon épouse sans autre appui, et pour eux je meurs en m'écriant :

Vive la Liberté, vive l'Indépendance !

Chevalier de Lorimier

[Laurent-Olivier David, *Les patriotes de 1837-1838*, coll. Identités québécoises, Montréal, J. Frenette éditeur, 1981, p. 284-285.]

Dans un silence parfait et d'un commun accord, Georges et Eugénie, sous le regard approbateur de Jeanne, de Paul et d'Oscar, amènent ensuite la cage d'oiseau à l'extérieur, ouvrent la porte et, dans un geste symbolique, libèrent le petit merle d'Amérique de sa prison pour lui offrir la Terre en cadeau.

FIN

CHRONOLOGIE DES ÉVÉNEMENTS
(1759-1867)

La révolte des patriotes
Les causes

1759
13 septembre — Bataille des plaines d'Abraham. *Invasion de la Nouvelle-France par les troupes britanniques.* [Hare, p. 118.]

1760
Capitulation de Montréal et fin du Régime français en Amérique du Nord. [Lacoursière, 1 : 1995, p. 325.]

1791
10 juin — L'Acte constitutionnel. Division de la colonie en deux : le Bas-Canada et le Haut-Canada. Chacune des deux parties possède une Chambre d'assemblée élue au suffrage censitaire. [Lacoursière, 2 :1995, p. 12-13.]

1826
Le Parti réformiste de Louis-Joseph Papineau devient le Parti patriote. [C. Blais, G. Gallichan, F. Lemieux, J. St-Pierre, *Quatre siècles d'une capitale*, Québec.]

1832
21 mai — L'armée britannique ouvre le feu sur des partisans patriotes (trois morts) pendant des élections partielles dans le quartier ouest de Montréal.

L'épidémie de choléra, qui frappe cette année-là, sera la plus dévastatrice du siècle. Au total, douze mille personnes meurent du choléra au Bas-Canada. [Laporte.]

1833
La Corporation de la Cité de Montréal voit le jour et son premier maire est Jacques Viger. [http ://www2.ville.montreal.qc.ca/archives.]

1834
Louis-Joseph Papineau obtient une écrasante victoire électorale. Les radicaux du Parti patriote rédigent et présentent, à titre de programme politique et de revendications, quatre-vingt-douze résolutions qui expriment sans modération les griefs du Parti.

Une seconde épidémie de choléra provoque la mort de six mille personnes au Bas-Canada. [Laporte.]

21 février — Dépôt des quatre-vingt-douze résolutions qui recommandent, entre autres, que les membres du Conseil législatif et exécutif soient élus et que les ministres soient choisis parmi leurs pairs et soient responsables devant l'Assemblée législative. Ces résolutions constituent un véritable programme politique pour le Parti patriote. On demande que le budget soit contrôlé par l'Assemblée, laquelle doit obtenir tous les pouvoirs, privilèges et immunités qu'a le parlement britannique. Les résolutions sont adoptées à la majorité. [Bergeron, p. 88.]

Octobre — Élections au Bas-Canada ; les candidats favorables aux quatre-vingt-douze résolutions remportent presque tous les sièges à l'Assemblée législative. Aux élections d'automne, les modérés du Parti patriote, comme John Neilson, sont défaits. [Laporte.]

La rébellion de 1837-1838

1837
1er mars — Londres proclame les dix résolutions de Russell (début de la période qui mène à la rébellion de 1837) et rejette les quatre-vingt-douze résolutions mises de l'avant par le Parti patriote. [Laporte.]

7 mai — Assemblée populaire à Saint-Ours au cours de laquelle on dénonce les résolutions de Russell. Plusieurs réunions ont lieu par la suite à Saint-Marc, à Saint-Charles et à Stanbridge. [L.O.David.]

24 octobre — Mandement de l'évêque Lartigue contre les patriotes. [Laporte.]

5 septembre — Naissance de la société secrète patriote Les Fils de la Liberté. [Laporte.]

6 novembre — Affrontements à Montréal entre l'Association patriote des Fils de la Liberté et les membres du Doric Club, d'allégeance loyaliste. Les bureaucrates saccagent les ateliers du journal patriote de langue anglaise *The Vindicator* et s'attaquent à la maison de Papineau. [A. Papineau, 1998 : 73.]

16 novembre — Vingt-six mandats d'arrêt sont lancés pour crime de haute trahison : arrestation de chefs patriotes. [L.O.David.]

17 novembre — Le patriote Bonaventure Viger, aidé d'une soixantaine d'hommes, attaque des soldats de la Montreal Volunteer Cavalry près de Chambly et délivre le notaire Pierre-Paul Demaray et le docteur Joseph-François D'Avignon. [L.O.David.]

19 novembre — « Plus de mille patriotes réunis au marché Saint-Paul, à Québec [...] vont pousser des hourras devant les résidences de ceux qui avaient été emprisonnés. Les loyalistes à leur tour se manifestent, brisant les carreaux des résidences des expri-sonniers. L'excitation devient alors si intense que les autorités militaires décident de fermer les portes de la ville [de Québec] à huit heures du soir. Pendant l'hiver 1837-1838, Québec vit sous un régime de terreur alimentée par des rumeurs voulant que des bandes de patriotes soient sur le point d'attaquer Québec. » [Hare, p. 241.]

23 novembre — Trois cents patriotes remportent la bataille de Saint-Denis contre le colonel Charles Gore et six compagnies d'infanterie (cinq cents soldats). Papineau réussit à se rendre aux États-Unis. [David, 2000 : 41.]

25 novembre — Les deux cents patriotes armés de fourches et de bâtons sont défaits à la bataille de Saint-Charles contre le lieutenant-colonel George Augustin Wetherall. [Filteau, 1980 : 339.]

30 novembre — Les patriotes « se rendent maîtres du village de Saint-Eustache ». [Laporte.]

5 décembre — Proclamation de la loi martiale dans le district de Montréal. [Laporte.]

6 décembre — « Quatre-vingts patriotes sont repoussés par des corps de volontaires à Moore's Corner, près de la frontière américaine. » [Laporte.]

13 décembre — « Le général John Colborne quitte Montréal à destination de Saint-Eustache à la tête de mille trois cents hommes. » [Laporte.]

14 décembre — Bataille de Saint-Eustache : les patriotes retranchés dans l'église paroissiale sont exterminés. *Destruction de Saint-Eustache.* [Laporte.]

15 décembre — L'armée britannique brûle de fond en comble le village de Saint-Benoît. Colborne est surnommé le « vieux brûlot ». [Laporte.]

21 décembre — Lord Gosford donne le pouvoir à certaines personnes de faire prêter le serment d'allégeance aux sujets de Sa Majesté partout dans la province ; ceux qui refusent sont arrêtés. [Laporte.]

1838
5 janvier — Le président Martin Van Buren des États-Unis proclame la neutralité de son pays et menace de poursuivre tous ceux qui la compromettraient. Sophie Gagnon, la femme de Julien, est attaquée par les loyalistes. [*Les patriotes de 1837-1838*, L.-O.David, p.106-110.]

10 février — Le Parlement britannique suspend la constitution du Bas-Canada et nomme Lord Durham gouverneur général et haut-commissaire pour enquêter sur la rébellion. [Bergeron, p. 98 ; Lacoursière, p. 311.]

24 février — Un vol d'armes, attribué aux patriotes, est perpétré à l'arsenal d'Elizabethtown dans l'État de New York. [L. N. Fuller articles dated 1923, Copyright 1923, *Watertown Daily Times*.]

26 février — Raid des patriotes à Potton, dans les Cantons-de-l'Est. [Laporte.]

26-27 février — Robert Nelson, général en chef des forces patriotes, rassemble environ sept cents Frères Chasseurs et sympathisants américains dans le but d'envahir le Bas-Canada. Ils se rendent à Alburg dans le Vermont. John Colborne entre officiellement en fonction. La loi martiale est proclamée. [Bergeron, p. 99.]

28 février — Trois cents patriotes, commandés par Robert Nelson et Cyrille-Hector-Octave Côté, entrent dans la province et s'arrêtent à Caldwell's Manor. Robert Nelson y proclame l'indépendance du Bas-Canada. Y sont alors annoncés la séparation de l'Église et de l'État, la suppression de la dîme, l'abolition des redevances seigneuriales, la liberté de la presse, le suffrage universel pour hommes, le scrutin secret, la nationalisation des terres de la couronne et celles de la British American Land Co., l'élection d'une Assemblée constituante, l'emploi des deux langues dans les affaires publiques.» [Bergeron, p. 99.] [Fortin, Réal, *La guerre des patriotes, le long du Richelieu,* p.49.]

Printemps — Création de l'Association des Frères Chasseurs. Les fondateurs de cette société secrète, destinée à renverser le gouvernement colonial anglais et à instaurer une république au Bas-Canada, sont des patriotes exilés aux États-Unis, soit

Robert Nelson, Cyrille-Hector-Octave Côté, Julien Gagnon, François-Marie-Thomas Chevalier de Lorimier, Antoine Doré et Édouard-Élisée Malhiot. Louis-Joseph Papineau se dit contre une telle organisation. [L'Association des Frères Chasseurs, MSRC, 3e sér., XX (1926), sect. i : 17–34.]

L'ancien chef du Parti patriote s'éloigne du mouvement et ne participe à aucune bataille en 1838.

27 avril — Révocation de la loi martiale dans le district de Montréal, cinq cent une personnes sont incarcérées à Montréal, à la nouvelle prison du Pied-du-Courant pour fait de trahison ou menées séditieuses. Madame Amélie Gamelin et ses amies s'occupent des prisonniers. Seuls cinq patriotes sont emprisonnés à Québec. [Laporte.]

27 mai — Envoyé par le gouvernement britannique, Lord Durham arrive à Québec en sa qualité de gouverneur général avec la responsabilité de décider de la « forme et du futur gouvernement des provinces canadiennes. » [Brown, Craig. p. 252 ss.]

18 juin — Lord Durham propose aux huit principaux chefs de la première insurrection de 1837 un aveu de culpabilité en échange de la grâce de tous les autres détenus politiques. Plusieurs patriotes déjà exilés aux États-Unis sont exclus de l'entente. [Laporte.]

22 juin — Évasion de Louis Lussier, un des accusés du meurtre de Weir. [Laporte.]

28 juin et 2 juillet — Proclamation d'amnistie pour tous les détenus ; huit chefs sont exilés aux

Bermudes : il s'agit du Dr Wolfred Nelson, de Robert Shore Milnes Bouchette, de Siméon Marchessault, du major Toussaint-Hubert Goddu, du Dr Henri Alphonse Gauvin, de Bonaventure Viger, de Rodolphe Desrivières et du Dr Luc Hyacinthe Masson. Le deux juillet, ils montent, enchaînés, à bord du bateau *Canada* qui doit les conduire jusqu'à Québec. Le six juillet, ils quittent Québec sur la frégate de guerre *Vestale* à destination des Bermudes. [Laporte.]

25 septembre — À l'instigation du journal *La Minerve,* manifestation à Québec pour le départ de Lord Durham. [Nos racines, p.1369, no 69.]

26 septembre — Monseigneur Jean-Jacques Lartigue, évêque de Montréal, fait parvenir une missive aux autorités gouvernementales dévoilant les plans des patriotes. L'évêque dévoile au général Colborne la stratégie et les plans de la prise de pouvoir par les patriotes après un rapport que lui a remis le curé Amyot de Saint-Cyprien-de-Napierville. [http ://rebellions.chez.com/chrono.html.]

3 novembre — Les Frères Chasseurs se mobilisent dans différents points autour de Montréal. Les patriotes de Beauharnois attaquent la maison du seigneur Édouard Ellice. [Laporte.]

4 novembre — La déclaration d'indépendance a été lue de nouveau publiquement par Robert Nelson, le quatre novembre 1838, à Napierville. Discours du docteur Côté et de Robert Nelson. [Nos racines, p.1369, no 69] Proclamation de la loi martiale par Colborne. [Laporte]

Une centaine de patriotes à Châteauguay, sous le commandement de Cardinal et Duquette, se rendent à Caughnawaga dans l'intention d'obtenir des armes ; Cardinal et Duquette sont faits prisonniers. [Nos racines, p. 1378, no 69.]

5 novembre — Les patriotes de Beauharnois s'emparent du bateau à vapeur Brougham. [Laporte.]

6 novembre — Première bataille de Lacolle. Sous les ordres de l'officier Trouvay, les patriotes repoussent les volontaires.
À Terrebonne, la police cerne la maison de Charles Bouc, mais se retire après une fusillade. [Laporte.]

7 novembre — Six cents Frères Chasseurs, menés par le docteur Côté, affrontent des corps volontaires à Lacolle. Ils sont défaits et se dispersent rapidement. [Filteau, 1980, 416.]
À Terrebonne, on conclut un traité de paix entre les loyaux et les patriotes ; mais par la suite, les autorités le renient et arrêtent les patriotes dispersés. [Laporte.]

9 novembre — Les Frères Chasseurs attaquent des loyalistes retranchés à Odelltown, mais doivent se retirer après deux heures de combat. [Fortin, 1988 : 85.] Huit cents volontaires et soldats attaquent les forces patriotes du champ Baker de Sainte-Martine, qui est sous le commandement du colonel James Perrigo. Devant l'ardeur des patriotes au combat, les forces anglaises doivent se retirer : c'est la victoire pour les patriotes.

Colborne arrive à Napierville à la tête de huit mille soldats ; Malhiot établit un camp patriote à Boucherville et tente de regrouper les forces. [Nos racines, p. 1378, no 69.]Fuite de Robert Nelson aux États-Unis. Fin de l'insurrection de 1837-1838. [Laporte.]

Les conséquences de la rébellion

1838
27 novembre — Institution d'une cour martiale afin de juger cent huit accusés de la rébellion. [Laporte.]

21 décembre — Les deux premiers patriotes sont pendus à la prison du Pied-du-Courant (angle des rues Notre-Dame et de Lorimier à Montréal) : Joseph Narcisse Cardinal (notaire, trente ans, marié, cinq enfants) et Joseph Duquette (étudiant en loi, célibataire, vingt-deux ans). [Lacoursière.]

1839
11 février — Dépôt du Rapport Durham de trois cents pages recommandant, entre autres constantes, l'assimilation des Canadiens français. Dans son rapport, le gouverneur général constate que la lutte entre le Haut et le Bas-Canada est de nature ethnique. Il s'agit de deux nations qui se font la guerre au sein d'un même État. Il propose l'assimilation de ce « peuple sans histoire et sans littérature » que constituent les Canadiens français par le biais de l'union du Haut et du Bas-Canada : dans cette union, les Canadiens français seraient alors clairement minoritaires, ce qui assurerait aux anglophones la majorité des deux chambres unifiées. Il propose

également que les gouverneurs soient responsables devant leurs électeurs (et même élus par le peuple). La réaction au Bas-Canada est l'indignation. Mgr Lartigue de Montréal dénonce ces propositions, dont le but est de « nous angliciser. » [Brown, Craig. p. 252 ss.]

18 janvier — Cinq autres condamnés montent sur l'échafaud : il s'agit de Pierre-Théophile Decoigne (notaire, vingt-sept ans, marié, deux enfants), de François-Xavier Hamelin (cultivateur, lieutenant de milice, vingt-trois ans, célibataire), de Joseph Robert (cultivateur, capitaine de milice, cinquante-quatre ans, marié, cinq enfants), et d'Ambroise et Charles Sanguinet (deux frères, cultivateurs respectivement âgés de trente-cinq et trente-six ans, mariés, chacun deux enfants). [Lacoursière.]

Du 3 au 10 septembre — Procès de François Jalbert à Montréal dans une atmosphère surchauffée. [*Les patriotes 1837-1838*, L.-O. David, p. 284-285, J Frenette Éditeur Inc. 1981.] [Nos racines, p. 1386-1387, no 70.]

14 février — La veille de sa mort, Chevalier de Lorimier rédige son testament politique. Charles Hinderlang écrit plusieurs lettres. [*Les patriotes 1837-1838*, L.-O. David, p. 284-285, J Frenette Éditeur Inc. 1981.]

15 février — Cinq patriotes sont pendus à la prison du Pied-du-Courant : François-Marie-Thomas Chevalier de Lorimier (notaire, trente-cinq ans, marié, trois enfants), Pierre-Rémi Narbonne (peintre-huissier, trente-six ans, marié, deux enfants),

246

François Nicolas (instituteur, quarante-quatre ans), Amable Daunais (cultivateur, vingt et un ans, célibataire), Charles Hindelang (de nationalité française, militaire, vingt-neuf ans, célibataire). Ils prononcent leurs dernières paroles. [Lacoursière.]

25 septembre — Cinquante-huit patriotes, dont la peine de mort a été commuée, sont déportés dans une colonie pénitentiaire d'Australie. [Brown, Craig. p. 252.]

1841
10 février — Sanctionné le 10 février 1841, l'Acte d'union établit un seul et unique parlement, le Bas-Canada éponge la dette du Haut-Canada, bannit la langue française au parlement et dans tous les organismes gouvernementaux et dissout les institutions canadiennes-françaises ayant juridiction en matière d'éducation et de droit civil.

« Il faut dire que l'Acte d'union, fabriqué pour noyer les Canadiens français, est comme on dit familièrement une législation de broche à foin. Très rapidement, une fois le gouvernement responsable acquis, le Canada-Uni s'avère ingouvernable. Les ministères succèdent aux ministères, à la cadence de un et parfois deux par an. »

— Le Canada-Uni compte cinq cent cinquante mille anglophones et six cent cinquante mille francophones. De 1850 à 1860, plus de deux cent cinquante mille immigrants arrivent au Canada et les Canadiens français deviennent minoritaires.

— L'Acte d'union fait que les British Americans adoptent graduellement le nom de « Canadians » que les habitants d'origine française se réservaient depuis le XVIIe siècle ; en réaction, ceux-ci commencent donc à s'appeler les Canadiens français. [Catela de Bordes, p. 185.]

1842
Antoine Gérin-Lajoie compose la chanson, *Un Canadien errant*. pour immortaliser l'exil des patriotes en Australie. [http ://grandquebec.com/gens-du-pays/antoine-gerin-lajoie.]

1848
11 mars — Louis-Hippolyte La Fontaine devient premier ministre et Robert Baldwin le reconnaît comme son chef. [Bergeron, p. 119.]

1849
18 janvier — Lord Elgin, le gouverneur général du Canada-Uni, accorde l'amnistie générale aux victimes des insurrections de 1837 et de 1838. Une loi est sanctionnée le 1er février. [http ://pages.infinit.net/histoire/quebech3.html.]

25 avril — Le Parlement du Canada-Uni, situé à Montréal, est incendié par des émeutiers anglophones remontés par les journaux anglais de Montréal, dont The *Montreal Gazette*, contre la loi du premier ministre Louis-Hyppolyte La Fontaine sur l'indemnisation des victimes francophones de la répression de l'armée durant les rébellions. Les bourgeois anglais sont furieux et réclament la tête du premier ministre. Quelques années plus tôt, la loi pour dédommager les anglophones du Haut-Canada

n'avait créé aucun remous politique. [http ://pages.infinit.net/histoire/quebech3.html.]

1850
De la moitié du XIXe siècle jusqu'à 1930 environ, plus de neuf cent mille Québécois francophones émigrent aux États-Unis. Partis par vagues, ils s'y sentent chez eux et, en quelques générations, ils adoptent les us et coutumes de leur nouveau milieu. Les quelque cinq millions de Franco-Américains constituent l'élément le plus important de la diaspora québécoise en Amérique du Nord. [Yolande Lavoie, *L'Émigration des Québécois aux États-Unis de 1840 à 1930*, Québec, 1981, p. 53.]

1867
2 septembre — John A. Macdonald et George-Étienne Cartier se prononcent en faveur d'une grande confédération de toutes les colonies. [http ://pages.infinit.net/histoire/quebech3.html.]

28 mars — La reine Victoria donne la sanction royale et décrète que l'Acte de l'Amérique du Nord Britannique prendra force de loi dès le premier juillet 1867. [http ://pages.infinit.net/histoire/quebech3.html.]

Sources
Internet
http ://cgi2.cvm.qc.ca/glaporte/ 1837 *NOS HÉROS*. [En ligne], 2010.
[pages.infinit.net/nh1837]. COUTURE, Patrick. « La rébellion des patriotes », dans *La République libre du Québec*,
www.republiquelibre.org/cousture/PATRI.HTM].

COUTURE, Patrick. « Louis-Joseph Papineau », dans *La République libre du Québec*, [www.republiquelibre.org/cousture/PAPINO.HTM] *CHRONOLOGIE DU QUÉBEC*, [En ligne].) http //page.infinit.net/histoire/quebech3.html) *PROVINCE-QUÉBEC.COM*, *Le Québec au 19e siècle*, [En ligne]. [www.province-quebec.com/chrono-logie/siecle19.php]. http ://grandquebec.com/gens-du-pays/antoine-gerin-lajoie
    http ://rebellions.chez.com/chrono.html

Ouvrages

Aubin, Georges. *Robert Nelson, Déclaration d'indépendance*, Comeau et Nadeau (Cadieux,1988,p.274. ; David, L.-O. *Les patriotes de 1837–1838*, Librairie Beauchemin Limitée.

Falardeau, Pierre. *15 février 1839* : scénario. - Montréal : Stanké, 1996.

Filteau, Gérard. *Histoire des patriotes*, Septentrion.

Fortin, Réal, *La guerre des patriotes, le long du Richelieu*, Milles-Roches

Lambert, Pierre, *Les patriotes de Beloei*l, Septentrion.

Nos racines, *l'histoire vivante des Québécois* nos 65 – 66 – 67 – 68, 69, 70, Les Éditions T.L.M.

Citations :

« Le gouvernement anglais se souviendra de Robert Nelson. » (Le journal de Louis-Joseph-Amédée Papineau)

« Aucun bureaucrate ne se mettra riche sur mon dos. » (L.O.David, 1981p. 116)

« Il est vêtu d'une tuque bleue et de son habit d'étoffe du pays. » (Fortin, 1988 p. 165).

« Qu'est-ce vous alliez faire, bande de fous ? » Gérard Filteau, p.88

« Nous ne déposerons les armes que lorsque nous aurons procuré à notre pays l'avantage d'un gouvernement patriote et responsable. » [Bergeron, p. 99].

« Je me réjouis à l'avance de voir des Canadiens se balancer au bout d'une corde. »(Nos racines, p.1385, no.70)

« En avant, mes amis ! Ne craignez rien, les balles ne vous feront pas plus mal qu'à moi. » (Bataille d'Odelltown, L.O.David)

« Je meurs pour ma patrie, qu'elle soit heureuse.» (L.O.David, p.110)

« Julien était un homme remarquable, intrépide et héroïque [...]. » (L.O.David, p.110)

Table des matières